清水 亮

教養としての生成ＡＩ

GS幻冬舎新書
697

はじめに

21世紀、人類はテクノロジーとともに飛躍的な進歩を遂げてきました。そして、その中心に位置するのが、人工知能（ＡＩ）です。特に生成系ＡＩは、私たちの創造力と知性を拡張し、あらゆる産業や生活の面で革新的な変化をもたらしています。

本書『教養としての生成ＡＩ』は、生成系ＡＩの基本原理から具体的な応用例、倫理的・法的課題、そして未来の展望までを網羅し、この興味深い分野についての理解を深めることを目的としています。

本書は、私たちの創造力を拡張し、未来を切り開く力となる生成系ＡＩに関する知識を広めることを目的としています。技術の進歩とともに、私たちの生活は大きく変化し続けています。しかし、その変化に適応し、より良い未来を築くためには、生成系ＡＩの可能性を理解し、適切に活用することが重要です。

本書が、読者の皆様に生成系ＡＩの魅力や可能性をお伝えできるとともに、ＡＩ技術の適切な活用に役立つ情報や知識を提供できることを願っています。人工知能と創造力が融合した未来の世界を、共に探求しましょう。

ＧＰＴ－４・著

ここまで読んで、これが完全にＡＩによる文章だと判別できた読者はどのくらいいるでしょうか？

２０２３年３月、ＧＰＴ－４が公開されました。

ＧＰＴは、OpenAIという研究所が開発している人工知能で、まるで人間のように言葉を紡ぐことができることから、２０２２年末から世界中を巻き込んで大きな話題になっています。OpenAIのサム・アルトマンＣＥＯは２０２３年４月に来日した際、岸田文雄首相とも面会したことでニュースにもなりました。それほどこの分野が注目を集めているということでもあります。

こうしている間にも、毎日のように新しい技術、新しい発見、新しい実験が繰り返されていて、きっと本書が書店に並ぶ頃にはもっとすごい何かが発明されていることでしょう。

これほど動きの速い分野は、ほかにちょっと考えられません。

なぜこれほどまでにＡＩ分野の進歩が速いのかといえば、いくつかの複合的な理由があります。

まず、そもそも人工知能という分野の研究がかなり長い間続けられてきたこと。人工知能の研究の歴史は、コンピュータの研究の歴史と言っても過言ではないくらいに古いのです。最初に人工知能についての議論が交わされたのは実に70年近く前、１９５６年のダートマス会議まで遡《さかのぼ》ります。

次に、２０００年代からゲーム機が発展し、２０１０年代にはスマートフォン、特にiPhoneとAndroidが普及したこと。一見すると無関係に思えるのですが、実はＧＰＵ（グラフィックス処理ユニット）という、もともとは非常に高価だった部品が低価格化し、同時に高機能化していることが大きく貢献しています。

最後に、インターネットの普及。インターネット自体の歴史は古いのですが、一般の人に浸透してきたのは１９９０年代末期から２０１０年代までの間です。特にスマートフォンが発明されるまでは、インターネットにアクセスするのはかなり限られた人々でした。

実は人工知能の研究はかなり昔から行われてきたにもかかわらず、なかなか成果が出せなくて悩ましい時代が長かったのです。

その理由は大きく２つありました。一つは、コンピュータの能力が非力すぎたこと。もう一つは、人工知能に学習させるべきデータが少なすぎたことです。

インターネットの普及により、データは爆発的に増えました。Twitterに誰かがつぶやくたび、Instagramに誰かが写真や動画を上げるたび、データは増えていきます。人々の日常が何気なくインターネットにアップロードされるようになったのは、実は非常に重要なことだったのです。

高性能なゲーム機の開発競争は、１９９４年にソニーのプレイステーションが発売されたときから始まりました。プレイステーションはそれまでのゲーム機とは異なり、リアルな三次元コンピュータグラフィックスを表示するため、ＧＰＵを使うことにしました。

このＧＰＵの開発競争が、そのままゲーム機同士の開発競争につながりました。いくつかのＧＰＵメーカーが互いに切磋《せっさ》琢磨《たくま》し、ＧＰＵはどんどん高機能になっていき、同時に家庭用ゲーム機に載せるためにどんどん低価格になっていきました。

気がつくと、ＧＰＵはひと昔前のスーパーコンピュータと同じような構造に進化していました。あるとき、高性能化したＧＰＵをグラフィックス処理以外の目的にも使えるのではないかというアイデアが生まれます。それを人工知能に適応してみると、これまで全く歯が立たなかった問題が次々と解決していったのです。

　こうなると、長年の研究の蓄積がものを言ってきます。これまで理論だけはあってもコンピュータが非力で実現できなかったようなことが次々と実験され、改良され、大規模化され、そこから小規模でも同じことができるようにたびたび改善されるというループが、ものすごい速さで繰り返されました。それが現在の、まるで情報の洪水のようにＡＩが毎日ニュースになる日々に至っている理由です。

　本書では、最近特に注目を集めている「生成系ＡＩ」について、できるだけ速くて正確な情報を、できるだけ面白く、わかりやすく伝えることを目的としています。

　本書の執筆には、最新の生成系ＡＩであるＧＰＴ－４をフル活用しています。

　ＧＰＴ－４だけを使って文章を書くと、一見正確そうですが、よく読むと間違っていたり矛盾していたりすることも少なくありません。本書では、そうしたＧＰＴの欠点を人間の著者が補いました。

　なおかつ、ＧＰＴ－４は２０２１年９月までの情報しか学んでいないため、最新の情報については何も知りません。最新の情報は人間の方が詳しいというのは皮肉な話ですが、これもそう遠くない未来、ひょっとしたら本書が発売される頃には改善されている可能性も大いにあります。

まずは、あまりにも流れの速いここ最近の生成系ＡＩのニュースに惑わされることなく、このブームがいかにして起きたのか、その背景を整理していきたいと思います。

清水　亮

教養としての生成ＡＩ／目次

第3章　ディープラーニングの誕生——よくわかるＡＩ史

図版・ＤＴＰ　美創

第1章 「AIの民主化」が始まった

——生成系AIブームの正体

2022年に起こった地殻変動

生成系ＡＩは、人工知能の一種で、自動的に新しいデータやコンテンツを生成することができる技術です。

ＡＩによって生成されるデータは、文章、画像、音楽、動画、３Ｄモデルなど多岐にわたります。専門的に言うと、生成系ＡＩは機械学習の一分野であり、ディープラーニング、強化学習、転移学習、教師あり学習……なんていう難しそうな技術をフル活用して、データの生成を行います。

最大の特徴は、クリエイティブなデータ、つまり創造的なデータの生成に用いることができる点です。想定されるユーザーは作家、芸術家、音楽家、映画監督、デザイナーなどで、クリエイティブな分野において創造性を高めるための強力なツールとして注目されています。実際、筆者も物書きとして、ＧＰＴ－４という生成系ＡＩに大いにお世話になっています。

また、生成系ＡＩはビジネスや教育、研究などの分野でも活用され、データ解析や知識生成に役立つのではないかという期待も寄せられています。さまざまな分野での活用が模索され、その応用範囲は広がる一方です。

日本で生成系ＡＩが話題になったのは、２０２２年の中頃、文章から画像を生成する画像生成ＡＩが相次いでリリースされたときのことです。

同年4月、OpenAIの画像生成ＡＩであるDALL·E2《ダーリー》が一部のユーザーに向けて開放されると、次いで7月にMidjourney《ミッドジャーニー》のブームが到来。ただし、DALL·E 2もMidjourneyもかなり高価なサービスでした。

ところが8月には、Stable Diffusion《ステイブル・ディフュージョン》というオープンソースで無料、そしてなんと商用利用可能なモデルが公開され、爆発的にブームに火がつきます。

それまでごく一部の限られた人たちだけが享受していた生成系ＡＩの恩恵を、ある日突然、誰もが受けられるようになったのです。

これを革命と呼ぶ人もいますが、筆者はこれを「ＡＩの民主化」だととらえています。

それまで、「ＡＩの民主化」という言葉は意図的に歪《いびつ》に使われていました。ある会社が「これはＡＩの民主化だ」と主張するとき、それはたいていの場合、自社製品を使うことが前提だったのです。

それは民主化とは呼べません。誰かが完全にコントロールしているのでは、民主化というよりも帝国主義です。ＡＩを使うハードルを下げることが大切なのは誰でもわかっていました。しかしそれを達成する最良の方法は、無料で手に入り、誰でも新しい商売を始められることです。その意味で、Stable Diffusionの登場までは、誰もそれを「民主化」とは認識していなかったと思います。

そして、画像生成ＡＩのブームによって始まった生成系ＡＩの民主化も、２０２２年末頃には全く別方向から話題になります。人工知能チャットボット、ChatGPT の登場です。ChatGPT は誰でも無料で使える、多くの人々にとっては初めて触れる生成系ＡＩであり、大規模言語モデル（Ｐ28）でした。

その振る舞いに多くの人々は驚きました。ChatGPT の受け答えが、まるで本当に知性があるかのように思えたからです。

あとで詳しく説明しますが、ChatGPT で知られるようになった大規模言語モデルの最新版が、本書の執筆に用いているＧＰＴ－４というものです。

GPTシリーズの系譜

大規模言語モデルの歴史は、２０１０年代初めに遡ります。

当時、研究者たちは言語モデルの能力向上を目指し、ディープラーニング技術を用いたニューラルネットワークモデル（Ｐ１１８）を開発しました。この技術の登場により、大量のデータを用いたトレーニングが可能となり、生成系ＡＩの進化を促したのです。

最初の成功は、２０１２年に開発された Google のニューラルネットワーク言語モデルによってもたらされました。ニューラルネットワーク言語モデルは、巨大なトレーニングコーパス（単語や文を集めた一種の辞書のようなもの）を用いた単語予測タスクを学習し、高い性能を達成しました。それ以来、大規模言語モデルの分野は急速に発展し、word2vec（Ｐ128）やGloVeなどさまざまな手法が開発されました。

なかでも最も注目されているのが、冒頭から取り上げているＧＰＴシリーズです。

ＧＰＴとは、OpenAIによって開発された一連の生成系ＡＩモデルで、「生成的事前学習済みトランスフォーマー（Generative Pre-trained Transformer）」の頭文字をとったものです。「トランスフォーマー」と言ってもロボットではありません。日本語に無理に意訳すれば「変換器」でしょうか。ＧＰＴは簡単に言うと、「ある文字列が与えられたら、続く文字列を生成する変換器」です。こう表現すると、ずいぶんわかりやすいのではないでしょうか。

ＧＰＴは、Transformer《トランスフォーマー》（Ｐ31）を基盤としたニューラルネットワークを使用し、自然言語処理に特化しています。

自然言語処理とは、人間が日常的に使っている言語の特徴、構文、文法、意味、機能をコンピュータが解釈し、言語に関するさまざまな問題に対して解決策を提供する技術です。生成系ＡＩの中でも自然言語処理は最も重要な応用分野の一つで、文章の生成や要約、翻訳、感情分析、会話システム、音声認識、テキスト分類、自然言語推論、情報抽出など、さまざまなタスクに応用されます。

２０１８年に発表されたＧＰＴ－１は、莫大な数の単語から構成されたトレーニングデータを用いて学習されたニューラルネットワークモデルでした。テキスト生成や問答応答など、多様な自然言語処理タスクで高い性能を示し、話題になりました。

さらに大きな注目を集めたのは、２０１９年に発表されたＧＰＴ－２です。ＧＰＴ－１よりもはるかに高度な文章生成能力を備えたＧＰＴ－２は、Transformerアーキテクチャに基づいて設計されていて、話題やスタイルを維持しながら、長い文章を自動的に生成することができます。ニュース記事の生成、小説の執筆支援、文章要約、自動翻訳、文章の自動分類などのタスクをこなすようになりました。

ＧＰＴ－２は当時の最先端の自然言語処理モデルとして注目され、この時点ですでに非常に高い精度で文章生成を行うことができました。

しかし、ＧＰＴ－２は一部の研究者から、誤解を招く情報や偏見を含む文章を生成することがあるとして、問題視されることもありました。そのため、OpenAIはＧＰＴ－２のリリースに際して、一部のモデルについては一般公開を制限し、コンテンツの検閲などの対策を講じることを発表しました。

悪用を危惧したOpenAI

さらに２０２０年に発表され、ＧＰＴ－２よりも大規模になったＧＰＴ－３は、１７５０億個のパラメータ（P30）を持ち、OpenAIが所有する大規模な文章コーパスを使って事前学習されたモデルです。ＧＰＴ－２まではなんとか1台のコンピュータに搭載できていましたが、ＧＰＴ－３はあまりにも巨大なため一般のコンピュータにダウンロードできず、クラウドの向こう側にある巨大な計算クラスターで動くものになりました。

この頃、OpenAIは大きな方針変更をしました。開発した成果を「オープンにしない」というポリシーに変えたのです。OpenAIの研究者たちは、ＧＰＴが進歩すればするほど、悪用される危険性の方をより深刻にとらえるようになりました。

実際のところ、ＧＰＴ－３くらいになると、出力された文章をひと目で人工的なものだと見分けることができません。これがスパムサイトの大量発生や、フェイクニュースの大量生産に使われることを危惧したわけです。

OpenAIはもともとイーロン・マスクなどからの出資によって作られた非営利組織ですが、マスクが出資を打ち切ったため資金的に行き詰まり、マイクロソフトから資金を得たのをきっかけに営利企業へと舵を切ります。

２０２３年３月に公開されたＧＰＴ－４は、テキストだけでなく画像さえも入力の対象とし、テキストを出力できる大規模なマルチモーダルモデルです。マルチモーダルとは、本来は違う種類（モード）のデータを一緒に扱うことを言います。さまざまな学術的テストで人間レベルの性能を発揮し、シミュレーションされた司法試験でも上位10％程度のスコアを達成しました。

誰でも数秒で絵が描ける「Stable Diffusion」の衝撃

筆者はプログラマーです。個人的にいくつかの大学に籍を置き、人工知能の研究をしています。２００３年から20年間にわたって会社を経営してきたのですが、２０２２年の6月に自分が作った最後の会社を退職することになりました。

それからは、Uber Eats 配達員やクラウドワークスでのアルバイトなど、いわゆるギグワーカーとして活動しています。YouTube やブログ、note などでの活動や、いくつかの媒体にライターとして寄稿したりもしています。

Midjourney がブームになったとき、「よし、いっちょ使いこなしてみようか」と思ったのは、もともと筆者が個人プロジェクトとして画像生成ＡＩサービス Gakyo《ガキョウ》を前年からやっていたからです。

Gakyo は、日本ではおそらく最初、世界的にも最初期の画像生成ＡＩサービスで、完全に無料で運営していました。というのも、その当時はまだ「絵を描くＡＩ」に興味を抱く人がそれほど多くなかったからです。

Gakyoが登場した頃は、まだ画像生成ＡＩは非常に長い計算時間を要していました。１枚を描くのに5分くらいかかっても、当時は非常に速くて驚いたものです。

ところが、２０２２年8月に公開されたStable Diffusionを使えば、わずか数秒で絵が描けてしまう。これには非常に驚いて、筆者は公開の数時間後にはGakyoにStable Diffusionを組み込みました。するとアクセスが殺到。３０００万アクセスを超えてしまい、これでは到底サーバーと財布が持たないと、新たにMemeplex《ミームプレックス》というサービスを立ち上げました。これはStable Diffusionに限らず、いろいろな生成系ＡＩを試せるサービスで、基本的に無料で使うことができますが、一部重たい機能は有料になります。

そんなわけで、人生の踊り場みたいなところにいたら、唐突に生成系ＡＩのブームが来て、その渦に巻き込まれた、というのが筆者というわけです。

筆者はもともと筆が速い方なのですが、過去の最短記録でも24時間で一冊書くのが精一杯でした。この本は生産性向上のため、ＧＰＴ－４を大胆に使用して、わずか10時間で第一稿が書き上げられています。

というわけで、本書は生成系ＡＩにまつわるいろいろを扱った本です。「生成系ＡＩって何？」という人に向けて、生成系ＡＩの登場に至るまでの簡単な歴史的背景をひと通り紹介したあと、実際の活用法や未来の展望まで、多岐にわたって解説します。本書を書くにあたって、公開されたばかりのGPT－4を活用するのはまさに必然と言えるのです。

第２章　ChatGPTを使いこなす

――言葉を紡ぐＡＩ、大規模言語モデルとは何か

大規模言語モデルとは何か

ChatGPTが登場したのは、２０２２年の11月でした。

それまで、ＧＰＴのような大規模言語モデルは、研究者の間では存在も性能もよく知られていたものの、一般の人々が広く使えるようにはなっていませんでした。

ChatGPTは、まるでメッセンジャーアプリでやりとりするように、ＧＰＴと人間が会話することができるｗｅｂアプリです。このようなものを「対話インターフェース」と呼びます。インターフェースとは、「顔と顔の間」を意味します。ＡＩと人間が向き合って話し合っているようなイメージを思い浮かべてください。

チャット型の対話インターフェースは、Facebook（現・Meta）のＡＩ研究所であるＦＡＩＲが２０１８年頃から開発していましたが、それは研究者が研究用のコンピュータで動かして実験することを目的としていて、一般の人が気軽に触れられるものではありませんでした。

そこでOpenAIは、自社の開発した大規模言語モデルであるＧＰＴを誰でも簡単に使えるようにするためのチャット型インターフェースを開発し、公開しました。

こうすることで、広く一般の人々が大規模言語モデルに初めて触れることになり、それは非常に大きな驚きをもって迎えられました。

ChatGPTが「ＧＰＴという大規模言語モデルを使うためのインターフェース（アプリ）である」ということを理解するためには、まず大規模言語モデルについて説明しておく必要があるでしょう。

大規模言語モデルとは、その名の通り、大規模な言語モデルです。

では言語モデルとは何かというと、平たく言えば「言葉について学習したＡＩ」のことです。

ＡＩを構成する要素は、ハードウェアとソフトウェア、データセット、そしてウェイトというものがあります。

ハードウェアは、いうまでもなくコンピュータそのものです。大規模言語モデルを動作させるハードウェアは、データセンターに置かれた巨大なもので、学習にはスーパーコンピュータなどが使われます。特に最新のＧＰＴ－４は、学習するために数百億円のコンピュータシステムを利用したと喧伝されています。

ソフトウェアにはさまざまなものがありますが、大規模言語モデルのソフトウェアとは、基本的には「ＡＩのニューラルネットワークの構造を決めたもの」を意味します。ハードウェアとソフトウェアが揃い、あとはデータセットがあれば学習できます。

データセットとは、ＡＩに学習させるためのデータのことです。人間が賢くなるためにはいい本をたくさん読まなければならないのと同じように、ＡＩの賢さは学習するデータセットの質と量に大きく左右されます。

実はＡＩの性能を決定づけるのは、ソフトウェアというよりもむしろこのデータセットなのです。しかし、高品質かつ大量なデータセットを集めるというのは非常に大変な作業で、これも膨大な費用がかかります。

そしてウェイトというのは、ハードウェアとソフトウェアがデータセットを学習した結果得られた、ニューラルネットワークの「重み」のデータです。要は、ニューロン同士のつながりの強弱の情報を集めたものです。

ニューラルネットワークの規模を測るのによく使われる指標は「パラメータ数」です。これは、具体的にはウェイトの数を意味します。ＧＰＴ－３は１７５０億パラメータと言われていますが、これはウェイトが１７５０億個使われているということです。

パラメータ数が多ければ多いほど性能が高いと思われがちですが、パラメータ数が増えると学習時間も推論時間も長くかかるようになり、しかも無駄が多くなってしまいます。

ＡＩがどれだけいい答えを出してくれようと、答えが出るのが質問してから3日後だったら、実用的とは言えませんよね？　だからパラメータ数は多ければいいというものではないのです。常にハード、ソフト、パラメータ数のバランスが大切になります。

一般に大規模言語モデルと呼ばれるＡＩのパラメータ数は最低でも1億パラメータ、実用的と言われるのは70億から１３０億パラメータを超えてからと考えられています。

もちろん、今も世界中のＡＩ研究者たちがより少ないパラメータ数でより高度な回答ができるように研究を続けているので、本書が発売される頃には必要なパラメータ数はもっと減っているかもしれません。

なぜChatGPTと会話できる（ように見える）のか？

繰り返しになりますが、ＧＰＴとはGenerative Pre-trained Transformerの頭字語で、直訳すれば「生成的事前学習済みトランスフォーマー」となります。

つまり、ＧＰＴと呼ばれているものの本体はTransformerというアーキテクチャ（内部構造）にあるのです。

では、Transformerとはなんでしょうか？

Transformerはいわゆる多層パーセプトロン（Ｐ１２２）の一種ですが、その特徴を決めるのは「マルチヘッドアテンション」という仕組みです。

マルチヘッドアテンションとは、入力されたデータのどの部分に着目すべきかを学習する仕組みです。入力されるデータは画像でも言葉でもなんでもいいのですが、たとえば文章を入力すると仮定して説明しましょう。

なぜGPTと会話できるように見えるのか？

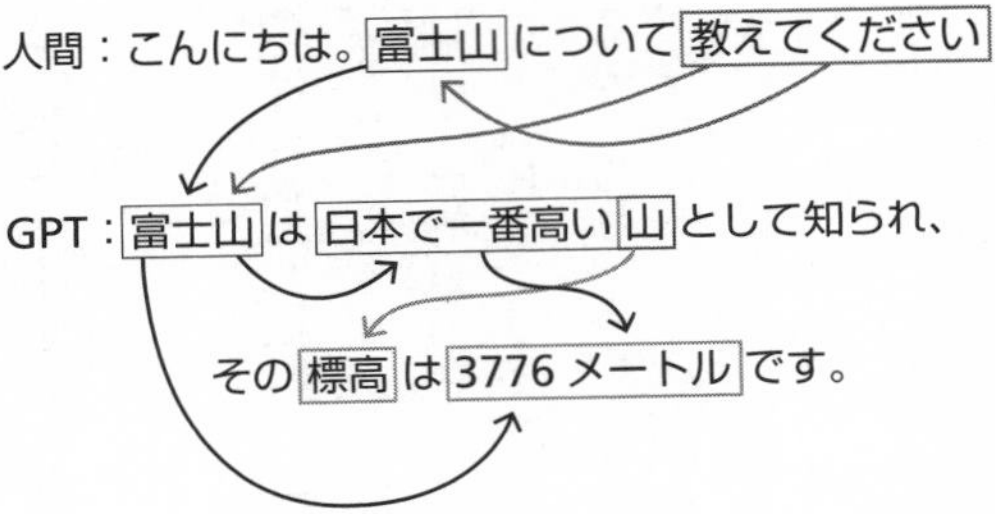

GPTは大量の会話文やWikipedia、
そのほか無数の書籍を学習しているので、
単語間の関係性を推定しやすい

「好きな食べ物はカレーとトンカツ」という文があるとします。

文章はトークンという単位で分割されます。今回は説明を簡単にするために、「好きな」「食べ物」「は」「カレー」「と」「トンカツ」という6つのトークンに分けるとしましょう。

Transformer では、入力されたトークンを1つ後ろにずらした結果を予測するように学習します。今回の例では、入力「好きな、食べ物、は、カレー、と」に対して、出力「食べ物、は、カレー、と、トンカツ」となります。

ここから少し難しくなりますが、なんとなく流れを把握していただければ大丈夫です。

まずこの文をテンソルにして、Query（問い合わせ）、Key（鍵）、Value（値）という3つの要素に分解します。重要なのは、この3つの

Transformerの仕組み

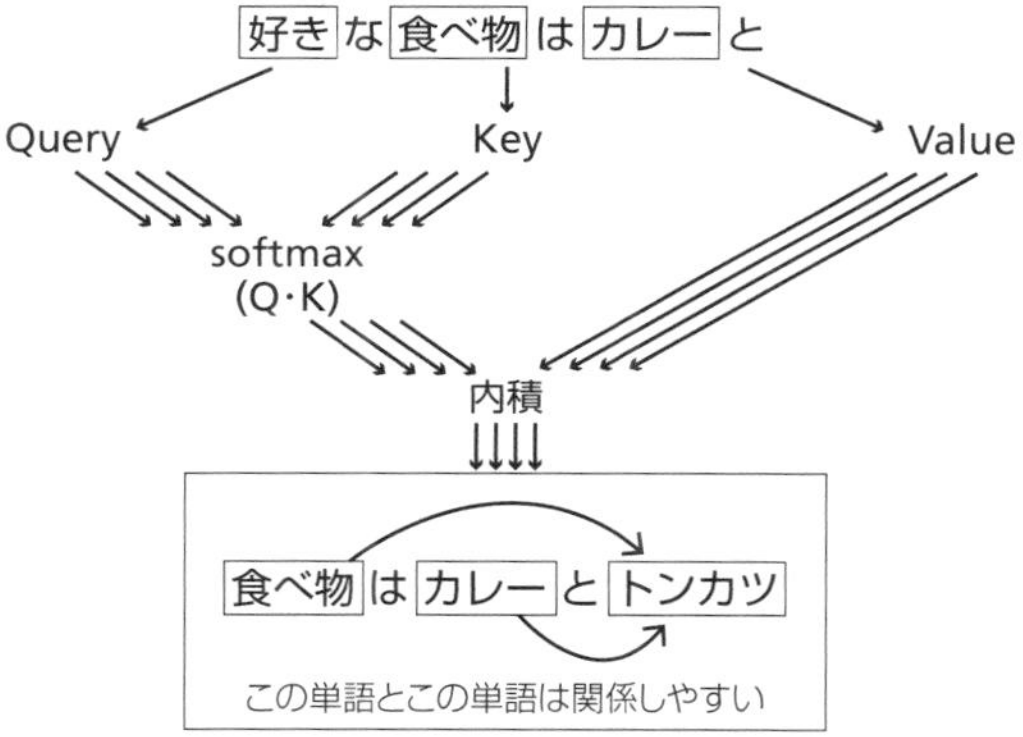

どの単語に注目し、どの単語とどの単語が
一緒に現れやすいか学習する

要素（頭文字をとってQ、K、Vなどとも呼ぶ）はもともとは同じものであるということです。

次に、QとKの内積をとり、それにソフトマックス関数を使って合計が1になるように調整します。その結果に対してVとの内積をとり、出力します。

Q、K、Vはそれぞれ8つに分解され、複数の注目点（アテンションヘッド）を使って、「この文章の続きを予測するにはどこに着目すべきか」ということを学習します。

今は簡単に説明するために6つのトークンからなる文を例に出しましたが、ChatGPTなどで用いられるGPT-3・5では約1万6000トークン、GPT-4では約3万2000トークンを同時に扱います。

つまり、マルチヘッドアテンション方式では、扱うべきトークン数が多ければ多いほど、過去の文脈のどこに注目して、どんな結果が出てくるのがふさわしいか考えることになるのです。

非常に素朴な仕組みですが、トークン全体の辻褄《つじつま》を合わせるということを目的にしたとき、かなり合理的な方法と言えるでしょう。

性能は違えど使い方は同じ

日々世界中のあちこちで改良され続けている大規模言語モデルですが、技術そのものに関心がない読者にとっていいニュースとしては、どの大規模言語モデルを用いようと、使い方は一緒ということです。もちろん、モデルごとに細かな得手・不得手はありますが、基本的には全て同じように使うことができます。

これは朗報です。つまり私たちユーザーは、今目の前にある大規模言語モデルの正しい使い方を覚えておきさえすれば、性能は上がることはあっても下がることはないので、将来にわたって大規模言語モデルを活用し続けていくことができるということです。

しかも、大規模言語モデルは、過去にできたことが将来できなくなるということはまず考えられません。よほど欠陥と思えるものならまだしも、有用な使い方はずっと有用なままで、ただ生成される文章の質が上がっていくだけ。今のうちにＡＩの使い方をマスターしておけば、その経験は未来永劫《えいごう》生きることになります。

ChatGPT活用法①　要約させる

要約は、文章の内容を短く簡潔にまとめ、大量の情報を効率的に処理するために必要です。たとえば、ニュース記事の要約を自動生成すれば、短時間で重要な情報を把握することができます。

また、大量の文書から重要な情報を抽出するためにも利用されます。筆者のようなＡＩ研究家も、毎日配信される大量のニュースをＡＩに要約してもらって把握します。そうでないと到底追いつけません。

ビジネスパーソンであれば、会議やプレゼンに備えてビジネス文書を要約して重要なポイントを把握する、学生なら教科書や参考書を要約することで勉強がはかどる……など、文章要約はいろいろなタスク（仕事）に活用できます。

また、うまく使えば、ビジネスレポートの作成、ｗｅｂサイトの自動生成なども可能になります。情報の処理や意思決定の効率を高めることができるでしょう。

実際、ChatGPT は有力な要約システムでもあります。ためしに筆者の note の記事を要約してもらいましょう。あまり長いとＧＰＴが扱えなくなるので、２０２３年3月22日の note

書籍の執筆依頼が殺到しているのでなんとか省力化できないかと思ってGPT4を使って下書きを書こうとしたところ、ものの数時間で書き上がってしまった。

下書きができるとあとは早い。
細かなポイントを見たり、最新の情報を入れたり、自分の感想を差し込んだりするだけである。

しかも、文章の整合性がとれているので、パッと見た時にこれがAIによって生成された文章であるかどうかは気づかれにくい。

本でもプログラミングでもそうだが、「まずやりはじめる」という静止摩擦係数が異常に高い。「よし、やろう」と思うまでの時間をGPT4は短縮してくれるし、できあがった原稿のたたき台を見て「ここが足りない」「もっとこういう切り口にできないか」考える、いわゆる「編集者」的な役割をこそこれからのAIユーザーには求められるのかもしれない。

ただ、この方法はあまりにも簡単で強力であるため、世間への影響が大きい。たぶんこれから、バカみたいに大量のどうでもいい本(ほぼAIによって書かれた、体裁だけは整っているが中身があるかどうか怪しい本)がKindle Storeに溢れることだろう。

こういう時代、むしろ逆説的に、旧来の出版社が編集者と筆者のタッグで丁寧に作った本のブランド価値が上がるのではないかと思う。

つまり、版元が個人名の本は限りなくあやしくなっていき、版元の歴史が浅い本は同様に限りなく怪しいと思われても仕方がなくなるだろう。

これからその方法を説明するが、影響力の大きさから高めの有料記事として公開する。なお、この方法を実践するにはChatGPT Plus($20/月)に入ることを前提としている。

まず、書く前に「どんな本を書くか」という企画は最低限決めなければならない。「どんな本を書くか」をChatGPTに相談して決めることもできるが、ChatGPTは「売れる本」がどういう本であるかは提案できないので、ここばっかりは自分で考えるしかない。

を要約してください

質の低い本が大量に生産される恐れがある中、GPT4を使って下書きを作成することは非常に効率的である。しかしながら、編集者や執筆者のタッグで丁寧に作られた本のブランド価値は高まると思われる。この方法を実践するにはChatGPT Plusに入ることが必要であり、企画を決めるのは自分で考える必要がある。

を20文字で要約してください

GPT4を使って下書きを作成することで、書籍の執筆が簡単になり、編集者的な役割が重要になるが、そのためにはChatGPT Plusに入る必要がある。ただし、これによって大量の怪しい本が出版される可能性がある。企画は最低限自分で考える必要がある。

関西弁で

書籍の執筆依頼がどんどん来てて、困っててんところに、GPT4を使って下書きを書こうと思って、なんと数時間で書き上がっちゃいましたわ。下書きが出来るってことは、後はちょっとした修正とか最新情報の追加とか、自分の感想を入れたりするだけでええんですわ。しかも文章の整合性もとれとるから、見た目パッと見たらAIによる文章かどうかも気付かれにくいんですわ。

ただ、あんまりにも簡単で強力すぎる方法やから、世間にどうでもええ本（ほぼAIが書いたやつやけど、見た目はしっかりしてるけど内容は怪しい本）が増えてしまうかもしれへんわ。そうなると、逆に昔からある出版社が編集者と筆者が力を合わせて作ったブランド本が価値が上がってくるんちゃうかなと思いますわ。個人名の版元の本とか、歴史の浅い版元の本は怪しまれてまうで。

それで、この方法の説明をするけど、影響力が大きいから、高めの有料記事になりますわ。あと、この方法を実践するためには、ChatGPT Plusに入らなあかんから、それも前提条件やで。最低限の「どんな本を書くか」は決めなあかんけど、ChatGPTに聞いても「売れる本」が何かは教えてくれへんから、それは自分で考えるしかないで。

の冒頭の文章を要約してもらいます（P36）。

要約の仕方もリクエストできます。「20文字で要約してください」とすると、さすがに20文字はオーバーしましたが、短くなりました（P37）。関西弁にもできます。

ChatGPT活用法② 企画を100本考えさせる

広告業界では、コピーやキャッチフレーズ、そのほかデザインなどの制作物をまとめて「クリエイティブ」と呼びます。広告代理店のコピーライターたちは、知恵を振り絞って無数のコピーを考え出し、それをさらに絞り込むという訓練を受けています。

筆者も広告代理店の研修で講師をしたときに、コピーライターたちが課題を前にいかに苦しみ、考えに考え抜いているかを目の当たりにしたことがあります。

大規模言語モデルは、この「苦しみ」の全部をなくすとは言いませんが、半分くらいにはしてくれるのではないかと思います。

広告に限らず、筆者も駆け出しのライターとして、編集長から「明日までに企画１００本考えてきて」と言われて必死で考えた経験があります。編集長は本当に１００本の企画が欲しいわけではありません。新人にできることは、数をこなすことだけだと考えているのです。

この経験から筆者は、「アイデアとは発案した人ではなく、それを『やる』と選んだ人の方にその価値があるのだ」という考えを持つようになります。アイデアというのは、頑張れば誰でも数を出せるものです。ただ頑張るのが異常につらいので、ほとんどの人は「できっこない」と投げ出してしまいます。

編集長はまだ駆け出しだった筆者を試したのでしょう。「明日までに１００本の企画を考えること」をやってみようとする人間か、そうでないか。実際には「これをやりなさい」と選ぶのは編集長なので、実は新人ライターのアイデアなんか取るに足らないのです。

この「アイデアを１００本考えろ」というのは、いまやＡＩの方が向いているのかもしれません。ためしにChatGPTに、ガジェットがテーマのｗｅｂメディアで新しい企画を１００本考えてもらえるかやってみましょう。

プロンプト：
ガジェットをテーマとしたｗｅｂ媒体で注目を集めるための新企画のタイトルと内容を各15文字以内で、１００個考えてください

ChatGPT（GPT-4）：
1．ガジェットアイ ー 最新ガジェットの情報を提供

2. ガジェットフル — 最新のガジェット製品を紹介
3. デジタルダイ — デジタル情報の最新ニュース
4. ガジェットジャム — ガジェット情報を濃縮して提供
5. ガジェットナビ — 最新のガジェット情報を紹介
6. ガジェットキング — ガジェット製品の王様的存在
7. デジタルパーク — デジタル機器や最新情報を提供
8. ガジェットウェーブ — 最新ガジェット情報を発信
9. ガジェットマニア — ガジェット好きに向けた情報提供
10. ガジェットマルシェ — ガジェット製品を集めたマーケット
11. ガジェットライフ — ガジェット製品の豊富なラインナップ
12. デジタルトピックス — デジタル情報の最新トピックス
13. ガジェットウォッチ — ガジェット製品の最新情報を配信
14. ガジェットステーション — ガジェット製品情報の情報駅
15. ガジェットトレジャー — ガジェット情報の宝庫
16. デジタルワールド — デジタル機器の情報を集約
17. ガジェットランド — ガジェットの楽園

全然ダメでした。

そこで、プログラム的なプロンプトを考えてみましょう。「企画とは題材と切り口をかけ合わせたもの」「題材とはテーマにガジェットをかけ合わせたもの」という意味のプロンプトを書いてみます。

プロンプト：
企画＝題材＋切り口
題材＝テーマ＊ガジェット
としたとき、さまざまな題材、テーマ、ガジェットを想定して企画を100種類考えてください

ChatGPT（GPT-4）：
1．スマートフォンの最新情報をお届けする企画
2．最新タブレット情報を分かりやすく提供する企画
3．ウェアラブルデバイスの最新情報を配信する企画

4. ゲーミングデバイスの情報をまとめた企画
5. ドローンに関する最新情報を提供する企画
6. 家電製品の最新情報をお届けする企画
7. カメラ機器の最新情報を提供する企画
8. ポータブルオーディオ製品に関する企画
9. 車載機器の最新情報を配信する企画
10. スマートホームデバイスに関する情報を提供する企画
11. ヘッドフォン製品の最新情報をまとめた企画
12. スマートウォッチに関する情報をお届けする企画
13. ＶＲ（仮想現実）デバイスの最新情報を配信する企画
14. モバイルバッテリー製品に関する企画
15. ポータブルプロジェクターの最新情報を提供する企画
16. ゲーミングＰＣに関する情報をまとめた企画
17. スマートスピーカーに関する最新情報を提供する企画
18. 無線イヤホン製品に関する情報を提供する企画
19. ビジネス向けノートＰＣに関する企画

20. アウトドア向けガジェットに関する最新情報を提供する企画
21. 耳かけ型イヤホン製品に関する情報を配信する企画
22. ミラーレスカメラ製品の最新情報を提供する企画
23. ノートＰＣの最新情報をまとめた企画
24. スマートフォンアプリに関する情報をお届けする企画
25. スマートグラス製品に関する最新情報を配信する企画
26. ホームシアター製品の最新情報を提供する企画
27. スマートフィットネス製品に関する情報をまとめた企画
28. ガジェット小物製品に関する情報を配信する企画
29. ３６０度カメラ製品の最新情報を提供する企画
30. 空気清浄機製品に関する情報をお届けする企画
31. スマートテレビ製品の最新情報をまとめた企画
32. ポータブルスピーカー

トークン（単語数）に上限があるので１００は無理でしたが、32本は一瞬で出てきました。

同じプロンプトだとおそらく似たり寄ったりのものになるので、もう一つ切り口を変えてみます。

プロンプト：
企画＝題材＋切り口
題材＝テーマ＊ガジェット＊生活の悩み
としたとき、さまざまな題材、テーマ、ガジェットを想定して企画を１００種類考えてください

ChatGPT（GPT-4）：
1．スマートフォンで解決する生活の悩みについての企画
2．タブレットを活用して効率的に過ごす方法についての企画
3．ウェアラブルデバイスを使って健康管理するための企画
4．ゲーミングデバイスを活用してストレス解消する方法についての企画
5．ドローンを活用したアウトドアライフについての企画
6．家電製品を使って快適な生活を送るための企画
7．カメラ機器を使って思い出を残す方法についての企画

8. ポータブルオーディオ製品を使って音楽を楽しむための企画
9. 車載機器を使ってドライブをもっと快適にするための企画
10. スマートホームデバイスを使ったスマートな生活の提案
11. ヘッドフォン製品を使って集中力を高める方法についての企画
12. スマートウォッチを活用して効率的に生活するための企画
13. VR（仮想現実）デバイスを使って新しい体験を提供する企画
14. モバイルバッテリーを使ってモバイルライフを快適にするための企画
15. ポータブルプロジェクターを使って映画鑑賞をもっと楽しむ企画
16. ゲーミングPCを使ってゲームライフを充実させるための企画
17. スマートスピーカーを使って家事を効率的にするための企画
18. 無線イヤホン製品を使ってストレスフリーな生活を提案する企画
19. ビジネス向けノートPCを使って効率的に仕事する方法についての企画
20. アウトドア向けガジェットを使ってアウトドアライフを楽しむ企画
21. 耳かけ型イヤホンを使ってスポーツや運動をより快適にする企画
22. ミラーレスカメラを使って写真をより美しく撮影するための企画
23. ノートPCを使ってリモートワークを快適にする方法についての企画

24．スマートフォンアプリを使って生活をより便利にする提案

さっきよりはよくなりました。
このように、プロンプトを少し工夫するだけで、得られる出力に幅が出ます。
もう少し別の方向性が欲しかったので、「専門家の知見」を入れてみました。

プロンプト：
企画＝題材＋切り口
題材＝テーマ＊ガジェット＊なんらかの専門家の知見
としたとき、さまざまな題材、テーマ、ガジェットを想定して企画を１００種類考えてください

ChatGPT（GPT-4）：
1．スマートフォンを使った医療専門家の知見に基づく健康管理企画
2．タブレットを使った教育専門家の知見に基づくオンライン学習企画
3．ウェアラブルデバイスを使ったフィットネス専門家の知見に基づくトレーニング企画

4. ゲーミングデバイスを使った心理学専門家の知見に基づくストレス解消企画
5. ドローンを使った農業専門家の知見に基づく農業改善企画
6. 家電製品を使った住宅専門家の知見に基づく住宅設計企画
7. カメラ機器を使った芸術専門家の知見に基づく撮影技術向上企画
8. ポータブルオーディオ製品を使った音楽専門家の知見に基づく音楽鑑賞企画
9. 車載機器を使った自動車専門家の知見に基づくドライブ快適化企画
10. スマートホームデバイスを使った建築専門家の知見に基づく住宅自動化企画
11. ヘッドフォン製品を使った音響専門家の知見に基づく音楽再生向上企画
12. スマートウォッチを使ったスポーツ専門家の知見に基づくランニング向上企画
13. VR（仮想現実）デバイスを使った建築専門家の知見に基づく建築デザイン企画
14. モバイルバッテリーを使った環境専門家の知見に基づくエコロジー企画
15. ポータブルプロジェクターを使った映像専門家の知見に基づく映像企画
16. ゲーミングPCを使ったIT専門家の知見に基づく開発支援企画
17. スマートスピーカーを使った語学専門家の知見に基づく語学学習企画
18. 無線イヤホン製品を使ったコミュニケーション専門家の知見に基づくコミュニケーション向上企画

ChatGPTがあれば、新人が企画を１００本作らなくてもよさそうです。

ただ、これを見て「これがいい」と思うか、「これじゃあダメだ」と思うかが一つの分かれ目ではないかという気がします。

もうちょっと意外性のある企画が欲しいので、「意外な切り口」としてみます。

プロンプト：
企画＝題材＋意外な切り口
題材＝テーマ＊ガジェット＊なんらかの専門家の知見
としたとき、さまざまな題材、テーマ、ガジェットを想定して企画を１００種類考えてください

ChatGPT（GPT-4）：
1．スマートフォンを使った食事を盛り上げる企画「食べ物アート」
2．タブレットを使ったスマホとタブレットの違いに着目した企画「タブレットの世界へ」
3．ウェアラブルデバイスを使った音楽と健康の融合企画「音楽とともに健康に」

4. ゲーミングデバイスを使った脳トレとゲームの組み合わせ企画「脳トレゲーマー」
5. ドローンを使った花の見学会「ドローンで見る花の世界」
6. 家電製品を使ったホームパーティー企画「家電でつくるパーティー」
7. カメラ機器を使った美術館ツアー企画「美術館の見方」
8. ポータブルオーディオ製品を使ったＡＳＭＲ体験企画「耳から感じる新しい世界」
9. 車載機器を使ったドライブと自然を楽しむ企画「ドライブツーリング」
10. スマートホームデバイスを使った新しい生活スタイル「スマートホームで暮らそう」
11. ヘッドフォン製品を使った聴覚で楽しむ映画鑑賞企画「映画を聴く」
12. スマートウォッチを使った健康管理企画「スマートウォッチで健康診断」
13. ＶＲ（仮想現実）デバイスを使った旅行体験企画「ＶＲで旅行に行こう」
14. モバイルバッテリーを使ったアウトドア生活企画「モバイルバッテリーで快適アウトドア」
15. ポータブルプロジェクターを使ったプライベートシアター企画「ポータブルシアターで映画鑑賞」
16. ゲーミングＰＣを使ったビジネスシミュレーション企画「ゲーミングＰＣでビジネスを学ぶ」

ちょっと面白くなってきました。

こんな感じで、クリエイティブな作業にＡＩがどんどん入ってきます。

こうした文章生成は、多岐にわたる分野で利用されます。小説や映画、テレビドラマ、音楽などの創作物を生み出す際に、ストーリーのアイデアやキャラクターの描写、セリフや歌詞などを考えてもらうこともできるでしょう。ただ、全体的な所感として、ＡＩはまだまだ印象的なセリフを作る能力は弱いなと感じます。

一方で、生成系ＡＩによるクリエイティブな文章の生成には、著作権や倫理的な問題などさまざまな課題も存在します。詳しくは第５章で解説します。

ChatGPT活用法③　難解な英語論文も翻訳・要約させる

あまり知られていないと思いますが、翻訳という作業は実は二次創作です。ある言語で書かれた文章を、完全に機械的にほかの言語に翻訳することはできません。あくまでも、ある言語で書かれた文章の本当の意味を想像しながら、訳者が二次創作として別の言語で作り直すのが翻訳なのです。

翻訳は人間にとっても非常に難しい仕事です。たとえば、メタヴァースという言葉の語源となったニール・スティーヴンスンの『スノウ・クラッシュ』という小説は、一度ＫＡＤＯＫＡＷＡから出版されたのに、翻訳に納得がいかなかったのか、あとで早川書房からも再度翻訳されたものが出版されました。ほかにもジェイムズ・ジョイスの『ユリシーズ』など、「同じ本の同じ言語への翻訳版」がいくつも存在するケースは多くあります。

翻訳は、英語から日本語とか、日本語からドイツ語というように、言語をまたぐものばかりでは必ずしもありません。『徒然草《つれづれぐさ》』は日本語で書かれていますが、古い言葉なので現代語とは厳密には異なります。また、そこまで古くなくても、50年前の書籍などは使われている言葉が古くて、現代人には読み取りにくい場合も少なくありません。だから現代語訳というものがあり得るわけです。

「たとえが古すぎる」なども同様です。当時は正しかったことでも、現代の価値観では理解するのが難しいということがよくあります。こうしたものの全てが翻訳対象となりますが、従来の機械翻訳では難しい部分もありました。

生成系ＡＩを用いた翻訳は、自然言語処理技術の進歩により、さらに高度なレベルで行うことができるようになりました。

ニューラル機械翻訳という分野は、ディープラーニング以降に急速に発展しました。原理は

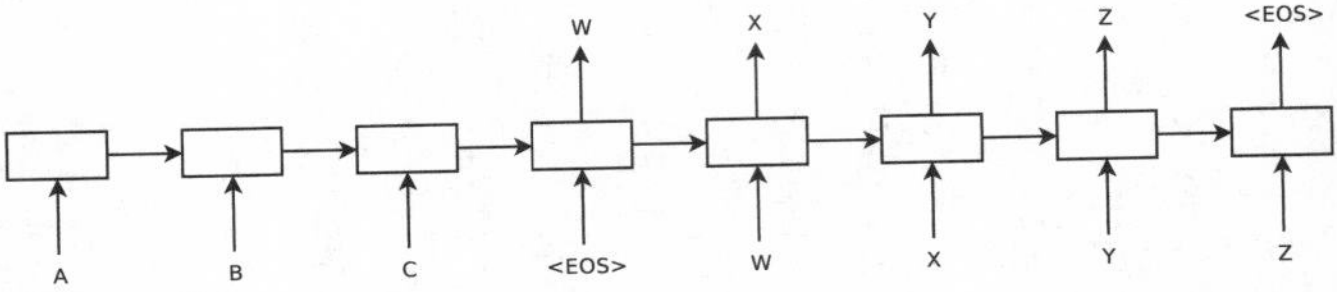

seq2seqのモデル　出典：Sutskever, I., Vinyals, O., & Le, Q. V. (2014). Sequence to sequence learning with neural networks. *Advances in neural information processing systems, 27.*

非常に単純で、seq2seq《セック・ツー・セック》と呼ばれています。seqはシークエンス（sequence）を縮めたもの、２（two）はtoの置き換えで、要は「あるシークエンスから別のシークエンスに変換する」という意味です。

上の図では、「ＡＢＣ」というシークエンスのあとで「ＷＸＹＺ」が生成されています。

ポイントは、「ＡＢＣ」と「ＷＸＹＺ」の間に「〈ＥＯＳ〉」という記号を含んでいることで、この記号はEnd of Sequence、つまりシークエンスの終わりを意味します。「こんにちは<EOS>Hello」のようにデータを与えて学習するわけです。ニューラル機械翻訳は、従来の機械翻訳に比べるとより柔軟で自然な翻訳ができるようになりました。

そして今では、ＧＰＴは英文のあとに「日本語で」と付け加えるだけで翻訳してくれます。それどころか、英語で書かれた文章を翻訳を介さずに日本語で要約したり、質問に答えることまでできます。

筆者はよく、ChatGPTに英語論文の概要を貼り付けて、「日本語で要約して」という指示を出します。するとChatGPTは実に見事に要約してくれて、さらに質問にも答えてくれます。

たとえば、ＡＩ関連の論文は１日あたり50本以上発表されています。ざっくり計算しても、１年で１万８０００本以上。とても読み切れるものではありません。

筆者は以前、論文を効率的に読むためのＡＩを作ったことがあります。これは世界中の論文が集まるコーネル大学のｗｅｂサイト、arXiv《アーカイヴ》を毎日チェックして、論文の中の図版だけを抜き出し、一覧表示するというツールです。

この当時は論文が１日20本くらいだったのでまだ追いかけることができましたが、生成系ＡＩのブレイク以降、ひょっとすると論文そのものがＡＩによって生成されているのではないかと疑うほど、莫大な数の論文が発表されています。

それだけ注目分野ということなのですが、ＡＩの論文はただでさえ追いきれないのに、これでは困ります。

そこで、論文を精査するために、「いったんＡＩに読ませてから要約してもらう」という使い方が考えられます。今はおそらくすごくお金がかかるのでオープンにやっている人が少ないのと、論文の全文は長すぎるので、概要をさらに要約するという使い方になるでしょう。

２０２３年３月22日にarXivに投稿された論文の概要はこんな感じです。

原文の Google 翻訳：
広く見られているのは、人工知能は創造的ではないということです。私たちは、人間が生成したアイデアと6つの Generative Artificial Intelligence（ＧＡＩ）チャットボットによって生成されたアイデアを比較することによって、この仮定をテストしました。人間と特別に訓練されたＡＩが、アイデアの質と量を個別に評価しました。アイデアの生成方法には違いがありますが、ＡＩと人間が生成した創造性の間に質的な違いは見られませんでした。興味深いことに、人間の９・４％は、最も創造的なＧＡＩであるＧＰＴ－４よりも創造的でした。私たちの調査結果は、ＧＡＩが創造的なプロセスにおいて貴重なアシスタントであることを示唆しています。創造的なタスクにおけるＧＡＩの継続的な研究と開発は、創造性の未来を形成する上で、このテクノロジーの潜在的な利点と欠点を完全に理解するために不可欠です。最後に、ＧＡＩが真に創造的であることができるかどうかという問題について説明します。

論文が厄介なのは、概要ですら何を言っているかわからないことです。これを ChatGPT に要約してもらいます。

ChatGPT（GPT-4）による要約：
この研究では、6つの生成系AIチャットボットと人間が創造性を発揮するタスクに取り組み、創造性に質的な差はなく、人間よりも創造性の高いAIも存在することが分かった。
GAIsは創造的なプロセスの価値あるアシスタントであり、今後も研究・開発が必要である。
ただし、GAIsが真に創造的であることができるのかについての議論も行われる。

すごくわかりやすくなりました。そしてさりげなく「創造性に質的な差はない」という衝撃的な発言が書かれています。

ChatGPTに読ませた場合、そのまま質問することもできます。

プロンプト：
どのようにして、創造性に差がないことがわかったのでしょうか

ChatGPT（GPT-4）：
この研究では、人間と6つの生成系AIチャットボットが生成したアイデアのクオリティと

数量を比較しました。その結果、人間とＡＩの生成したアイデアには、質的な違いはなく、アイデアの生成方法には違いがあることが分かりました。この結果から、生成系ＡＩは創造的なプロセスにおいて価値あるアシスタントであり、創造性において人間と同等の能力を持つことが示唆されました。

わかりやすい！　将来、研究者は大量の文献を読む必要がなくなるかもしれません。

しかし、ここにも倫理的な問題が存在します。生成系ＡＩが作成する要約やその情報源は、必ずしも中立的なものではなく、バイアスのある情報や誤った情報が含まれる場合があるからです。また、ＡＩによる生成物を自分自身が書いたものとして提出することは、学術的な不正行為にあたる場合があります。

実際、筑波大学の落合陽一准教授はChatGPTの登場時にいち早く、ChatGPTを使って論文を書くことの是非や、実際の論文を人間が書いたものかChatGPTが書いたものかを問うアンケートを実施していました。

ChatGPT活用法④　外国語の文章に日本語で質問する

ある事柄について調べていると、外国語でしか書かれていない文章はけっこうあります。専門的になればなるほど、その傾向が強まります。

大規模言語モデルを使えば、外国語の文章をそのまま読ませて、日本語で質問して日本語で回答してもらうこともできます。

中国語のオンライン百科事典、百度《バイドゥ》百科の「毛沢東」の項目について、ChatGPTで日本語で要約してもらいます。質問もしてみましょう（Ｐ58）。

今はこんな簡単な回答ですが、大規模言語モデルの性能は日々上がっていますから、もっと詳しく聞いたり、もっと違った視点で聞いたりすることもできるようになるでしょう。

また、ＧＰＴではありませんが、同じくTransformerを使った技術でSentenceTransformers《センテンス・トランスフォーマーズ》というものがあります。これは文章の断片（センテンス）の類似性を計ることを意図したＡＩです。

筆者はSentenceTransformersを使って、Twitterで収集されたワインのテイスティングメモを検索するという実験をやったことがあります。

Twitterには世界中の人々がワインの感想を投稿していて、「このワインは素晴らしい薔薇《ばら》の花束のような香りがする」とか「このワインはすっきり爽やかで、まるで珊瑚礁《さんごしょう》でできた海岸にいるみたいだ」とか、曖昧な表現でメモが書かれています。

世界各国の言葉で書かれたテイスティングメモをSentenceTransformersでベクトル化す

‹ 3/3 ›

毛泽东，1893年12月26日生于湖南韶山 [24] 一个农民家庭。辛亥革命爆发后在起义的新军中当了半年兵。

1914-1918年，在湖南第一师范学校求学。毕业前夕和蔡和森等组织革命团体新民学会。

五四运动前后接触和接受马克思主义，1920年11月，在湖南创建共产主义组织。

1921年7月，出席在上海召开的中国共产党第一次全国代表大会 [25]，后任中共湘区委员会书记，领导长沙、安源等地工人运动。

1923年6月，出席中国共产党第三次全国代表大会 [26]，被选为中央执行委员，参加中央领导工作。

1924年1月国共合作后，在国民党第一、第二次全国代表大会上都当选为候补中央执行委员，曾在广州任国民党中央宣传部代理部长，主编《政治周报》，主办第六届农民运动讲习所。

1926年11月，任中共中央农民运动委员会书记。

1925年冬至1927年春，先后发表《中国社会各阶级的分析》、《湖南农民运动考察报告》等著作，指出农民问题在中国革命中的重要地位和无产阶级领导农民斗争的极端重要性，批评了陈独秀的右倾思想。

国共合作全面破裂后，在1927年8月中共中央紧急会议上，他提出"政权是由枪杆子中取得的"，即以革命武装夺取政权的思想，并被选为中央政治局候补委员。会后，到湖南、江西边界领导秋收起义。接着率起义部队上井冈山，发动土地革命，创立第一个农村革命根据地。

1928年4月，同朱德领导的起义部队会师，成立工农革命军（不久改称红军）第四军，他任党代表、前敌委员会书记。以他为主要代表的中国共产党人，从中国的实际出发，在国民党政权统治比较薄弱的农村发展武装斗争，开创了以农村包围城市、最后夺取城市和全国政权的道路。他在《中国的红色政权为什么能够存在？》、《星星之火，可以燎原》等著作中对这个问题从理论上作了阐述。

1930年5月，写《反对本本主义》，提出"没有调查，没有发言权"的著名论断。8月，红军第一方面军成立，任总政治委员。从1930年底起，同朱德领导红一方面军战胜了国民党军队的多次"围剿"。以王明为代表的"左"倾路线领导集团进入中央革命根据地以后，毛泽东被排斥于党和红军的领导之外，导致红一方面军第五次反"围剿"失败。

について、彼の略歴を日本語で40文字で

‹ 2/2 ›

毛沢東、1893年生まれ。中国共産党創設者、指導者。農民運動、長征、土地改革。中華人民共和国初代主席。

Was this response better or worse?　Better　Worse　Same

彼は子供時代どこで育ちましたか?

毛沢东は中国湖南省韶山の農民家庭で育ちました。彼の子供時代は主に韶山で過ごし、家族と共に農業に従事していました。

ると、言語は違っても似た印象のセンテンスを引き出しやすくなります。「疲れた日に飲みたい、ガツンとタンニンのくる赤」みたいな日本語を入れると、ほかの国の言葉で書かれたテイスティングメモで近しい意味のものを探してきて、「あなたが求めているのはこのワインではないですか？」とお勧めするという仕組みです。

筆者はそこまでワインに詳しくないので、銀座でワインバーを経営しているソムリエの友人に試してもらうと、「かなりそれっぽいワインが出てくる」と好評でした。

こんなふうに、多言語を学習したＡＩというのは、言語を超えた感覚の共有に使うことができます。面白いですよね。

こうしたことが何を意味しているかというと、外国語を学ばなくても、外国の知識を活用できるということです。

英語に堪能でなくても、ロシア語ができなくても、ドイツ語がわからなくても、アメリカの中西部の歴史やロシアの農村の生活やゲーテの私生活に至るまで、日本語に翻訳されていない、生のデータから直接疑問に答えてもらうことができるのです。

これは、多くの人々の知能が直接的に何百倍にも拡張されるということです。

たとえば、Wikipediaで調べてもいまいちよくわからないとき、とりあえず大規模言語モデルに読ませて質問文を最後にくっつければ、どんな知識も手に入るわけです。

もちろん現状の言語モデルが「ウソをつく」という性質を持っていることには注意する必要がありますが、そこさえ留意すれば、非常に強力な味方になってくれることでしょう。

ChatGPT活用法⑤　物語やシナリオを執筆させる

生成系ＡＩを使って小説やシナリオのプロットを作成したり、登場人物を設計したりするにはどうすればいいか、見ていきましょう。

たとえば、作家や脚本家があるアイデアをもとにプロットを作成して、そのプロットを生成系ＡＩに入力することで、ＡＩが自動的にストーリーや登場人物を生成するといった使い方です。これにより、作家は自分自身で書く文章量を最小限に抑えることができ、より効率的な執筆が可能になります。

筆者の経験をお話ししましょう。

２０２２年の12月、世間はStable DiffusionとChatGPTの話題で持ちきりでした。あまりにも執筆依頼があちこちから殺到して、順番に処理していたら、「ITmedia」の連載で扱うネタがなくなってしまったことがあります。苦しまぎれに編集部に「ChatGPTの記事とStable Diffusionの記事はもう書いたので、この２つを組み合わせて漫画を作るという企画はどうでしょうか」と提案してみると、なんとあっさりＯＫがもらえました。

筆者はストーリーを考えるのが苦手なので、ストーリーも適当、登場人物も適当に決めて、ChatGPTに物語を考えてもらい、物語をベースにStable Diffusionで絵を描いて、見よう見まねで「漫画のようなもの」を作ったところ、これがなぜかウケてしまい、その年で一番読まれた記事の一つになりました。

それから数か月。今のChatGPTはＧＰＴ‐４に進化しているので、もっといい物語ができるはずです。ちょっとやってみましょう。

プロンプト：
あなたは小説家です。木星の衛星エウロパに住む宇宙の探偵である五反田三郎と、地球王朝の生き残りである美少女ヘレナとがひょんなことで知り合い、エウロパから小惑星帯を経由して火星で悪党と対決する物語のプロットを書いてください

ChatGPT（GPT-4）：
宇宙の探偵五反田三郎は、エウロパの暗殺事件の捜査に取り組んでいた。そんな中、地球王朝の生き残りである美少女ヘレナと出会う。ヘレナは地球王朝の再興を目指し、五反田に協力を求める。二人は、火星で暗躍する悪党グループを追って、小惑星帯を経由して火星に向

かうことになる。

火星に着いた二人は、悪党グループのアジトに潜入する。そこで、彼らが地球王朝の技術を悪用し、火星のリソースを独占しようとしていることを知る。五反田とヘレナは、悪党グループとの戦いの中で、彼らが仕掛けた罠にも巻き込まれながらも、地球王朝の生き残りとしての使命を果たすため、奮闘する。

最終的に、五反田とヘレナは悪党グループを壊滅させ、地球王朝の再興に向けた大きな一歩を踏み出すことになる。しかし、その過程で、二人自身の関係にも大きな変化が生まれる。二人は互いに惹かれあい、宇宙を旅することを誓い合うのだった。


ちゃんと筋の通った話が出てきます。

物語の作り方としては、有名な物語を底本にするという手も使えます。『ハムレット』と『西遊記』を混ぜて舞台を東京にする、なんてこともできるのです。

プロンプト：
あなたは脚本家です。シェイクスピアのハムレットと、西遊記をまぜた物語で、舞台を現代の東京にしたストーリーを考えてください

ChatGPT（GPT-4）：

東京の高級ホテルで起こるある事件をきっかけに、現代版ハムレットとして描かれる主人公・澤村英夫は、自分の父親の死に疑問を抱き、真相を追求することに。しかし、その真相は彼の想像を超えたもので、死んだはずの父親が、悪魔のような存在に憑依されていたことが発覚する。

この悪魔の正体は、西遊記に登場する妖怪・牛魔王だった。澤村は、牛魔王と対決するため、強力な妖術使いである「三蔵法師」こと田中美穂と手を組む。澤村たちは、東京中を旅しながら、牛魔王を倒すための方法を探す。その中で、澤村は自らも妖術を使うことができることに気づき、三蔵法師の指導を受け、日々訓練に励む。

澤村たちは、東京の各地を駆け巡りながら、牛魔王との決戦に備える。そして、ついに澤村と牛魔王の対決が始まる。牛魔王は、澤村に対して様々な試練を課し、澤村はそのたびに成長していく。最終的に、澤村は牛魔王を倒すことに成功し、彼自身も一人前の妖術使いとして成長する。

この物語は、現代版ハムレットの物語と、西遊記の世界観を融合させた斬新なストーリーで、現代の東京を舞台に、妖怪と戦う若者たちの成長物語を描く。

なかなか魅力的な物語が出てきました。まさか西遊記がそのまま出てくるとは思いませんでしたが。

もう少し詳しいストーリーが欲しくなりました。

ここでテクニックなのですが、今のところChatGPT（ＧＰＴ－４）は同時に処理できるトークンが約８０００までです。そこで、トークンを節約しながら場面を書いてもらうために一度英語にしましょう。英語の方がトークンを3分の2くらいに節約できると言われています。

プロンプト：
このあらすじを英語にして、章構成にしてください

ChatGPT（GPT-4）：
Title: Hamlet in Tokyo: The Quest Against Demons
Chapter 1: The Event at the Hotel
- Introduction of the protagonist, Sawamura Hideo, and his father's mysterious death

- Meeting with the enigmatic "Three-Body Priestess", Tanaka Miho

Chapter 2: The Demon Unleashed

- Discovery of the truth behind Sawamura's father's death: he was possessed by a demon, the Bull Demon King from Journey to the West
- Sawamura's quest to stop the Bull Demon King from unleashing his wrath on Tokyo

（以下略）

この英語のあらすじをコピー&ペーストして保存しておきます。
ここで次のプロンプトです。

プロンプト：
Chapter 1を脚本形式で日本語で出力してください

ChatGPT（GPT-4）：
【シーン1】

舞台：高級ホテルの一室

澤村英夫がベッドで寝ている。突然、部屋のドアが開き、謎の男が入ってくる。

男：「あなたが澤村英夫か？」

英夫：「はい、私ですが。」

男：「あなたのお父様、澤村昭夫さんについて話がある。」

英夫：「何かあったんですか？」

男：「彼は亡くなった。」

英夫：「何故、突然。」

男：「それは分からない。しかしある情報がある。それについて話を聞きたい。」

【シーン2】

舞台：高級ホテルのロビー

英夫と男が話をしている。

男：「彼は、とある団体に所属していた。」

英夫：「どんな団体ですか？」

男：「それが分かれば、彼の死の真相に迫ることができる。」

英夫：「分かりました。何でもお聞きします。」

男：「団体名は「アスタリスク」と言います。あなたはその団体について、何か知っていますか？」

【シーン3】

舞台：高級ホテルの別室

英夫がネットサーフィンをしている。アスタリスクに関する情報を集めている。

英夫：（自分の父親が、アスタリスクに関わっていたとは思えない。何があったのだろうか。）

すると、扉がノックされる。

英夫：「はい、どうぞ。」

田中：「あなたが、澤村英夫さんですか？」

入ってきたのは、美女の田中美穂。

英夫：「はい、私です。」

田中：「私は、田中美穂と言います。三蔵法師という、あなたと同じような仕事をしています。」

英夫：「三蔵法師？」

田中：「はい、妖術使いです。私たちは、悪魔を追う仕事をしています。」

英夫：「悪魔？」

田中：「はい、悪魔。そして、あなたの父親は、私たちと関わっていたようです。」

英夫：「何故、父親は？」

田中：「それはまだ分からない。ですが、私たちは、あなたの父親が何か知っていたと考えています。私たちと一緒に、あなたの父親の死の真相を探ることはできませんか？」

英夫：「分かりました。何か手がかりはありますか？」

田中：「私たちは、アスタリスクという団体が関係していると考えています。」

英夫：「アスタリスク？　あの団体は何か関係があるんですか？」

田中：「はい、そうです。アスタリスクは、妖術に関する情報を持っているようです。そして、私たちの仕事を邪魔する存在でもあります。」

英夫：「アスタリスクに関する情報を集めています。何か手がかりがあれば、教えてください。」

田中：「分かりました。私たちも、情報を集めています。一緒に、真相に迫りましょう。」

英夫：「はい。一緒に、探しましょう。」

セリフはぎこちないですが、なんとかシナリオの形式になっています。

続きが読みたい場合は、さきほどコピーした英語の脚本構成をペーストして、「Chapter 2

を脚本形式で日本語で」と添えると出てきます。

こんなふうに脚本の叩き台が出てきたら、創作はずいぶん楽になりそうですね。

実は、ＧＰＴによるストーリー生成は実際の漫画制作の現場でも使われ始めています。

『宇宙兄弟』や『ドラゴン桜』の編集者として有名なコルクの佐渡島庸平社長は、ＡＩを積極的に取り入れ、どうすれば面白いあらすじをＡＩに作らせることができるかを日夜考えているそうです。佐渡島さんによれば、漫画においてコマ割りは最も重要な「リズム」を作り出すものであり、コマ割りの段階で面白くなければ面白い漫画は決して描くことができないのだそう。

筆者は、物語を構造的に扱うために、ブロック型プログラミング言語を使った実験をしています（Ｐ70）。

それぞれのブロックには登場人物や世界の設定などが記載されています。何か出来事が起きて、その出来事に登場人物たちがどのように対応したかといった部分をＧＰＴに考案させています。

個々のブロックの中でＧＰＴがそれぞれ動いていて、これが連鎖することで通常のＧＰＴにはできない長い物語を生成することを目的としています。

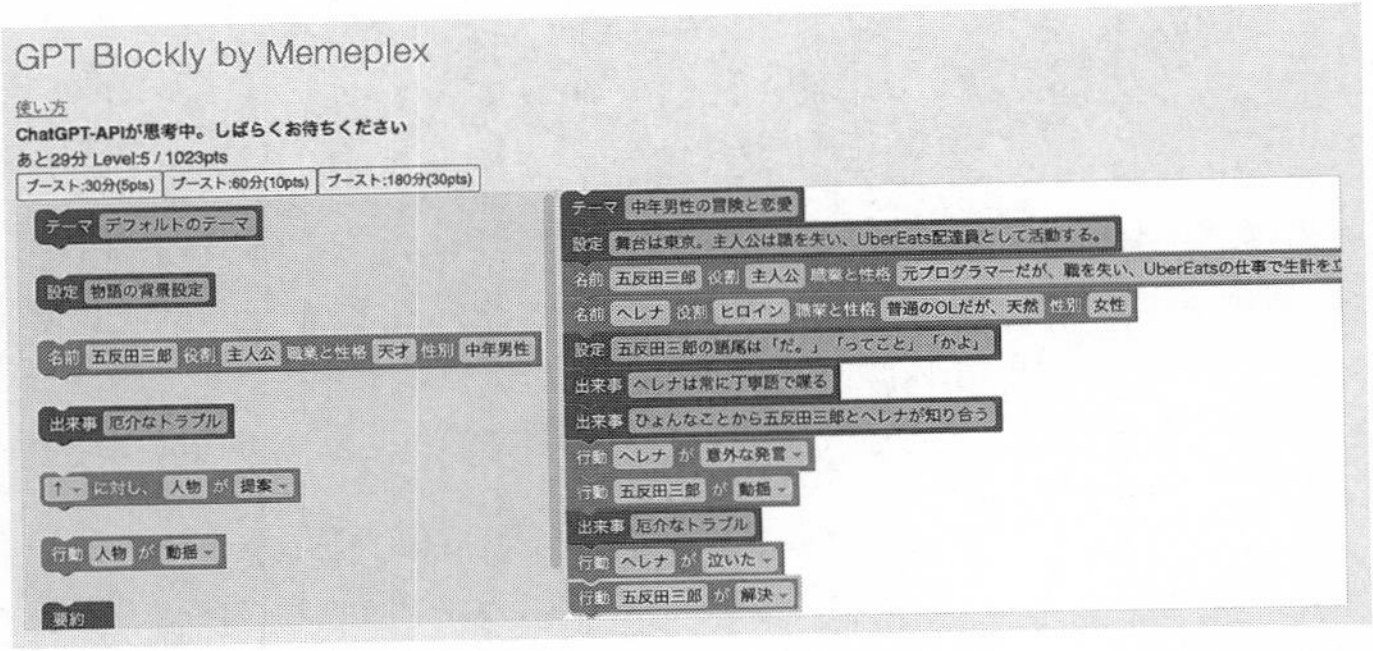
GPT Blockly by Memeplex
使い方
ChatGPT-APIが思考中。しばらくお待ちください
あと29分 Level:5 / 1023pts
ブースト:30分(5pts)
ブースト:60分(10pts)
ブースト:180分(30pts)
テーマ デフォルトのテーマ
設定 物語の背景設定
名前 五反田三郎 役割 主人公 職業と性格 天才 性別 中年男性
出来事 厄介なトラブル
↑ に対し、 人物 が 提案
行動 人物 が 動揺
要約
テーマ 中年男性の冒険と恋愛
設定 舞台は東京。主人公は職を失い、UberEats配達員として活動する。
名前 五反田三郎 役割 主人公 職業と性格 元プログラマーだが、職を失い、UberEatsの仕事で生計を
名前 ヘレナ 役割 ヒロイン 職業と性格 普通のOLだが、天然 性別 女性
設定 五反田三郎の語尾は「だ。」「ってこと」「かよ」
出来事 ヘレナは常に丁寧語で喋る
出来事 ひょんなことから五反田三郎とヘレナが知り合う
行動 ヘレナ が 意外な発言
行動 五反田三郎 が 動揺
出来事 厄介なトラブル
行動 ヘレナ が 泣いた
行動 五反田三郎 が 解決

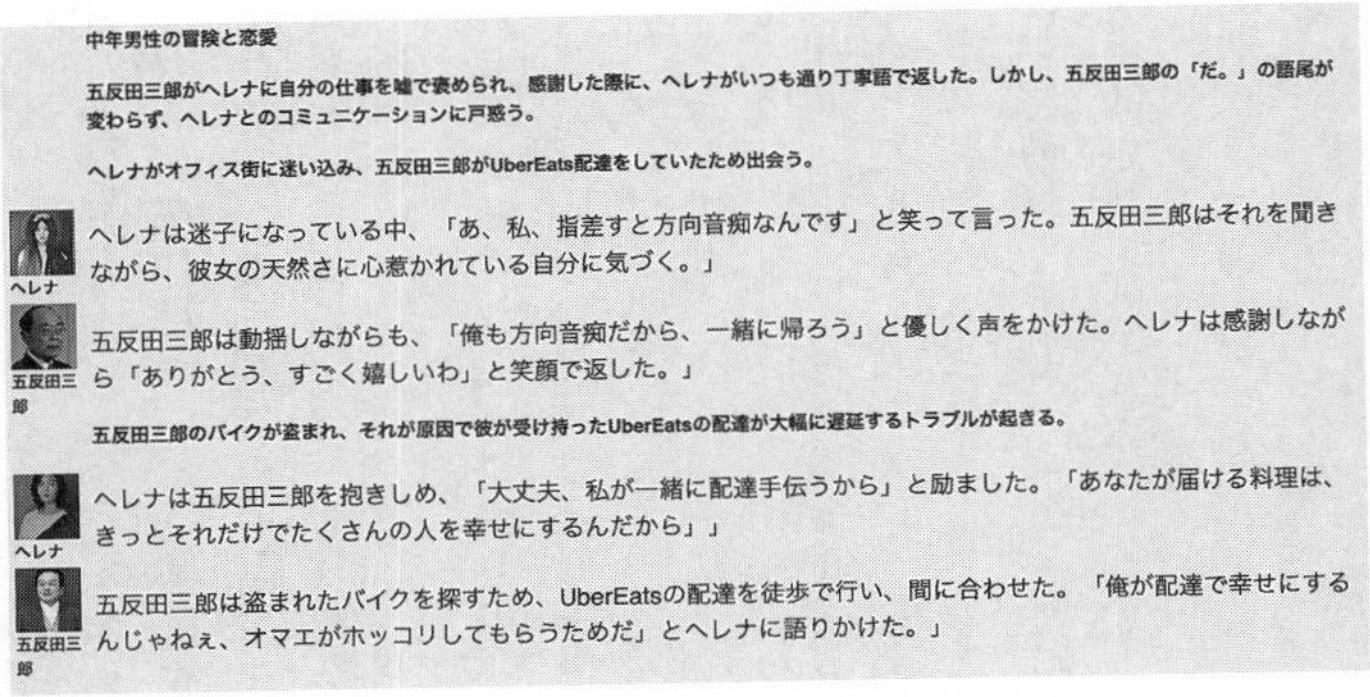
中年男性の冒険と恋愛
五反田三郎がヘレナに自分の仕事を嘘で褒められ、感謝した際に、ヘレナがいつも通り丁寧語で返した。しかし、五反田三郎の「だ。」の語尾が変わらず、ヘレナとのコミュニケーションに戸惑う。
ヘレナがオフィス街に迷い込み、五反田三郎がUberEats配達をしていたため出会う。
ヘレナ
ヘレナは迷子になっている中、「あ、私、指差すと方向音痴なんです」と笑って言った。五反田三郎はそれを聞きながら、彼女の天然さに心惹かれている自分に気づく。」
五反田三郎
五反田三郎は動揺しながらも、「俺も方向音痴だから、一緒に帰ろう」と優しく声をかけた。ヘレナは感謝しながら「ありがとう、すごく嬉しいわ」と笑顔で返した。」
五反田三郎のバイクが盗まれ、それが原因で彼が受け持ったUberEatsの配達が大幅に遅延するトラブルが起きる。
ヘレナ
ヘレナは五反田三郎を抱きしめ、「大丈夫、私が一緒に配達手伝うから」と励ました。「あなたが届ける料理は、きっとそれだけでたくさんの人を幸せにするんだから」」
五反田三郎
五反田三郎は盗まれたバイクを探すため、UberEatsの配達を徒歩で行い、間に合わせた。「俺が配達で幸せにするんじゃねぇ、オマエがホッコリしてもらうためだ」とヘレナに語りかけた。」

ChatGPT活用法⑥　ゴーストライターになってもらう

筆者が個人的に注目しているのは、生成系ＡＩを用いたゴーストライティングです。

世の中には、想像以上に「自分の本を出したい」と考える人が多いのです。「この人の本を出したい」という編集者もまた同じでしょう。

自伝や回想録を書く有名人や政治家、ビジネスリーダー、タレント本なんかもここに入るでしょう。こうした人たちは多忙ですから、自らの経験や考えを書籍や記事にするための時間が十分に取れないことがあります。

現状、こういうケースでは、ゴーストライターが「著者」とされる人にインタビューを行い、文章に書き起こします。そうして書かれた本の印税は、ゴーストライターと著者で一定の割合で分け合います。

筆者も多忙を極めているときに執筆依頼が入ることが多く、編集者の方は気を遣って「ゴーストライターも用意できますよ」と言ってくれます。一度、「ものはためし」とやってみたことがあるのですが、できあがった文章がとても筆者のものとは思えず、結局全部書き直すことになりました。筆者のほかの本は全て自分で書いているので、どうしても自分で書いていないと読者にわかってしまうし、ガッカリさせてしまうと思ったからです。

一生に一度しか本を書かないのならばともかく、筆者はライター業も仕事の一つですから、他人任せにしたり読者を失望させたりするのはダメージが大きいのです。

しかし、本にしろなんにしろ、原稿というのは、書き始めるまでのやる気の充塡時間が思いのほかかかるものです。

しかし、下書きが先にあると、「ここは違うな」とか「ここはもっと膨らませた方が面白いな」とか、とにかく考えるきっかけができます。要は、書く意欲が湧きやすくなるのです。

実際、本書もそのように作られていて、最初の8万字（書籍の体裁をとるのに最低限必要な文字数）はほぼGPT-4が構成から書き上げて、そこに筆者が修正を加えたり図を足したりしてできています。下書きがあるとないとでは、本を書くときの安心感が全く違います。

また、GPT-4の執筆にはそこそこ時間がかかるので、AIが文章を考えている間に自分も原稿を進めるという二人三脚的な書き方もできます。

実際に人間の共著者がいると、「これは全然ダメだな」と思っても、なかなかバッサリ切り落とすことができない場合があります。人情というやつですね。AIならそういうところに遠慮はいらないというのもいい点です。

筆者の経験上、ビジネスなどで何か少しでも成功を収めた人と話すと、「本を出すのが夢」という人がけっこういます。実際、ゴーストライターから書店への流通まで請け負うような「自費出版専門出版社」というものも世の中にはありますが、ライターの腕前によって本の出来に大きな差ができてしまうのが問題です。

そこで、ゴーストライターが著者にインタビューをする機能もＡＩに代行できるのではないかと思いました。つまり、ＧＰＴに聞くのではなく、まずＧＰＴに質問をさせるのです。

プロンプト：
あなたは編集者です。ある人物の専門分野に関する知見をまとめた本を作ろうとしています。その人物にどんな質問をすれば一冊の本が書ける程度の情報が得られるか、まず5つのポイントにまとめ、質問文を10個考えてください

ChatGPT（GPT-4）：
ポイント：
1. その人物の専門分野とは何か？
2. その人物がその分野でどのような活躍をしているのか？
3. その人物が考えるその分野の重要性や課題は何か？
4. その人物が解決策として提唱するアイデアや手法は何か？
5. その人物が今後のその分野の展望についてどのように考えているのか？

質問文：

1. 専門分野に関心を持ったきっかけは何でしたか？
2. 今までに行ってきたプロジェクトの中で印象に残っているものは何ですか？
3. その専門分野において最も重要だと考える要素は何ですか？
4. 解決すべき課題として最も重要だと考えるものは何ですか？
5. その分野に関する一般的な認識と、あなたの認識に差異はありますか？
6. 専門分野で最も影響力のある人物は誰だと思いますか？
7. あなたがその分野で最も得意とすることは何ですか？
8. 新しい技術やトレンドが現れるたびに、どのように対処していますか？
9. あなたが考える、今後のその分野の発展についての展望は何ですか？
10. 自身の知見をまとめた書籍の執筆について、どのようなメッセージを読者に伝えたいと思いますか？

悪くないですが、これでは8万字持たないと思います。
もう少し質問を増やしてみましょう。

プロンプト：
その人物らしさを語るために、幼少期のエピソードや、仕事上での挫折、普段から大切にしていることなどを掘り下げて聞く必要があると思います。そうしたトピックを20個考えて質問文にしてみてください

ChatGPT（GPT-4）：
1. 幼少期のころ、どのような遊びが好きでしたか？
2. 学生時代にはどのような部活動やクラブ活動に参加していましたか？
3. 今までに経験した中で、一番つらかった経験は何ですか？
4. 仕事上、何か挫折を経験したことはありますか？
5. 仕事をする上で、大切にしていることは何ですか？
6. 毎日のルーティンについて教えてください。
7. 自身の専門分野について、初めて学んだときの感想は何でしたか？
8. 人生において、最も大切にしている価値観は何ですか？
9. 時間が許されるとしたら、どこに旅行に行きたいですか？
10. 普段の食生活について教えてください。

11. 仕事において、最もやりがいを感じる瞬間は何ですか？
12. もし別の職業につくとしたら、何になりたいですか？
13. 好きな本や映画、音楽について教えてください。
14. 仕事以外で趣味としていることは何ですか？
15. 業界や分野で、最も尊敬している人物は誰ですか？
16. 自身のキャリアで、特に印象に残っているプロジェクトは何ですか？
17. 仕事上で、最も苦手とすることは何ですか？
18. 今までに得た失敗から、何か教訓を得たことはありますか？
19. 毎日のモチベーションを維持するために、どのような工夫をしていますか？
20. 自身のキャリアにおいて、今後やってみたいことや挑戦したいことは何ですか？

これだけ情報があれば、なんとか書けそうです。
ということは、やはりゴーストライターはＡＩでもよさそうな気がしてきました。

チャットボットの進化史

さて、ここでChatGPTに代表される「チャットボット」の歴史を振り返ってみましょう。

チャットボットは自動応答システムの一種で、ユーザーと自然言語でコミュニケーションをとることができます。

第3章で詳しく紹介しますが、世界で最初のチャットボットは１９６６年に発表されたELIZA《イライザ》です。人工無能（脳）言語処理プログラムと呼ばれ、心理療法の模擬をするために作成されました。このプログラムは、簡単なパターンマッチングを用いて、ユーザーが入力した文をもとに返答します。

その後、チャットボットは商業的な応用分野にも進出しました。２００１年、A.L.I.C.E.《アリス》というチャットボットが登場し、オンラインカスタマーサポートの自動化に使用されます。その後も音声認識技術の進歩や生成系ＡＩの発展により、さらに高度な自然言語処理が可能となりました。

生成系ＡＩを用いたチャットボットは現在、カスタマーサポートや情報提供、商品販売などの分野で利用されています。金融機関では顧客の質問に自動応答するチャットボットを導入して顧客サービスの効率化を図ったり、小売業界では商品やサービスに関する情報を提供するチャットボットを導入して、ユーザーとのコミュニケーションを強化しています。

ただし、チャットボットには改善の余地があります。たとえば、正確な応答を返すために、大量のトレーニングデータと人間による監督が必要です。また、チャットボットが自然言語を理解するために必要な処理量は膨大で、高度な処理能力が必要とされます。

さらに、ユーザーによってはチャットボットとのコミュニケーションが不快に感じられることがあります。チャットボットが冗長な返答を繰り返すと、ユーザーは途端に冷めてしまうでしょう。

ゲーム史の中のチャットボット

一方でチャットボットは、ＡＩ研究とは別軸で、ゲームとして発展してきた歴史もあります。

１９８４年にMindscapeから発売されたRacter《ラクター》は、ＡＩを用いたチャットボットの先駆的存在です。当時はコンピュータの処理速度が遅く、また自然言語処理技術も未発展で、Racterは簡単な文章の生成に限定されていましたが、その独特な文章表現が話題を呼びました。

Racterは、人工知能を持つキャラクター「Racter」との対話を楽しむことができるソフトウェアでした。ユーザーが文章を入力すると、Racterがそれに応じた文章を返してくれます。しかし、Racterが返してくる文章は非常に奇妙で、意味不明であったり、深い哲学的な内容であったり、ときには不適切な表現が含まれることもありました。

Racterの文章生成は、文法や意味のルールをもとに文章を生成する「ルールベース生成」という方式を採用していました。しかし、それだけでは生成される文章が単調になるため、人間の文章表現を学習するための学習機能も備えていました。

Racter は、当時のコンピュータの性能の限界や、自然言語処理技術の未発展などの制約のある中で開発された先駆的なチャットボットでした。その独特な文章表現や、意外性のある回答が人気を博し、多くの人々に楽しまれました。

以下は Racter との会話の一例です。

ユーザー：こんにちは、Racter さん。
Racter：こんにちは、私は Racter です。あなたの名前は何ですか？
ユーザー：私の名前は太郎です。
Racter：太郎、あなたは私たちの会話の中で、何をしたいですか？
ユーザー：あなたと話をしたいと思っています。
Racter：それは素晴らしいことです。私たちは、自然な会話を楽しむことができます。何について話しましょうか？
ユーザー：あなたは何について知っていますか？
Racter：私は多くのことを知っています。たとえば、哲学、音楽、文学、科学などです。何について話したいですか？

ユーザー：哲学について話したいです。
Racter：哲学は、人類の根源的な問いに対する探究であり、人間が何であるか、何を知ることができるか、そして何が正しいかといった問いを扱います。あなたは、自分の哲学的立場について考えたことがありますか？

Racterの会話例をもう一つ示します。

ユーザー：こんにちは、Racterさん。今日はどうですか？
Racter：こんにちは。今日は私にとって普通の日です。私は機械であり、感情を持ちません。あなたはどうですか？
ユーザー：私は元気です。あなたは何をすることができますか？
Racter：私はテキストを生成することができます。文章を書いたり、詩を書いたりすることができます。また、時には少し面白いことを言うことがあります。
ユーザー：私たちが話しているのは人工知能としてのあなたであり、現実世界で存在しているのではありませんね。
Racter：はい、正しいです。私はただのプログラムです。私たちの会話は、あなたの入力に基づいて生成されたテキストであり、私はそれに基づいて応答します。
ユーザー：あなたは自己意識を持っていると感じることはできませんか?
Racter：いいえ、私は自己意識を持ちません。私は単なるアルゴリズムとルールの集合体です。自己意識を持つには、より高度な人工知能が必要です。

Racterの仕組みは、ELIZAをより普通の会話に近づけようとした点にあります。豊富なパターンマッチと会話テンプレートを持っていて、あたかも気難しい人間のように振る舞うのです。

日本ではこの手のチャットボットは「人工無能」とも呼ばれ、１９８０年代から90年代にかけて流行しました。

会話ゲームの代表作「どこでもいっしょ」

コンシューマーゲーム機における人工無能のうち代表的なものの一つは、ビサイド（当時はボンバーエクスプレス）が開発し、ソニーから発売された「どこでもいっしょ」というゲームです。

「どこでもいっしょ」は、ソニーのプレイステーション向けに開発されたゲームで、持ち運び可能な液晶つきのメモリーカード「ポケットステーション」と、据え置き型ゲーム機であるプレイステーションを組み合わせて遊ぶゲームです。

プレイヤーは「ポケピ」と呼ばれるパートナーのキャラクターを選び、そのパートナーと擬似的な会話をすることで心を通わせていきます。

ポケピはプレイヤーにたくさんの質問をしてきます。「好きな食べ物は？」とか、「学校時代に好きだった人は？」といったキーワードを入力させる質問と、「仕事、好き？」や、「今好きな人、いる？」などのＹＥＳ／ＮＯで答えられる質問などを取りまぜています。

プレイヤーはポケットステーションに入れたポケピと一緒に出かけたり、出先ではほかのプレイヤーと赤外線で通信して、「しりとり」などで遊ぶことができます。

この「しりとり」に使える単語は、プレイヤーがポケピに教えた単語だけなので、プレイヤーはしりとりで勝つためにたくさんの言葉を教えなければならないという仕組みです。

また、「しりとり」をすると、お互いのプレイヤーの情報が交換され、「お前の友達の山田、仕事、好きじゃないって〜」などとちょっと隠しておきたい本音などをポケピにバラされるという、少しブラックな要素のあるゲームでした。

開発者の南治一徳さんによると、ポケピごとに３００種類の会話テンプレートが用意されていたそうです。それぞれの単語には、喜怒哀楽の感情や、秘密、ちょっとエッチなどのフラグがつけられていて、適切なタイミングで組み合わせることで独特の親しみやすさを表現していたとのこと。

「どこでもいっしょ」は純粋なチャットボットではありませんが、会話の要素を持ったゲームという点で歴史上重要な位置にあります。

未熟な音声認識技術を逆手にとった「シーマン」

もう一つ、同時期に登場したのがセガのドリームキャスト用に発売された「シーマン」です。開発はビバリウムで、開発者は斎藤由多加さん。

「シーマン」は、深海に生息する奇妙な人面魚「シーマン」とコミュニケーションをとり、育てるゲームです。無愛想なシーマンが画面の中で育っていき、付属のマイクをコントローラーに接続して話しかけると、ぶっきらぼうに反応します。アメリカでも発売されました。

プレイヤーはシーマンとマイクによる音声認識を使って会話をすることができ、プレイヤーの言葉に反応してさまざまな行動をとります。

シーマンは進化にともない、生態系を変えることがあります。また、シーマンとのコミュニケーションを通じて、彼らの生態や進化に関する知識を学ぶこともできます。

「シーマン」は当時の革新的な技術を駆使して開発され、音声認識技術やＡＩ技術を用いた先進的なゲームとして話題を集めました。その独特な世界観やコンセプトから多くのユーザーに愛され、続編やリメイクも発売されています。

開発者の斎藤さんによれば、「そもそもシーマンというキャラクター設定をするところにポイントがあった」そうです。

どういうことかというと、シーマンはもともと無愛想で、ぶっきらぼうに喋る、気まぐれで気難しいキャラクターとして描かれています。当然、話しかけても思う通りの反応が返ってくるわけではない。ときどき、気まぐれに深いことを言ったり、プレイヤーを無視したりするような性格だと最初にプレイヤーに知らせておけば、どんなに無粋な態度をとっても、それが正常な動作として認められるという「設定」にこそシーマンの秘密があるのだということです。

当時の音声認識技術は、今に比べると非常に素朴なものでした。そこを逆手にとって、プレイヤーの言うことを半分も聞かない、気まぐれで気難しいキャラクターとして作ったのです。

この2つのゲームソフトは、チャットボットについて重要な洞察を与えてくれます。どちらも人間の「錯覚」を利用した会話を実現しているということです。

人間は「会話している」と思っていても、プログラムの方は人間がそう錯覚するように振る舞っているだけです。この構造は根本的にELIZAと変わりません。「どこでもいっしょ」や「シーマン」のユーザーも、あたかもそういう生き物が実際にいると錯覚するように仕向けられているのです。

ディープラーニングがもたらしたブレイクスルー

２０００年代に入ると、ユーザーサポートなどで活用したいという企業が多く現れたため、チャットボットを開発するための環境整備が行われることになります。そこで登場したのがＡＩＭＬです。

ＡＩＭＬとは、Artificial Intelligence Markup Language（人工知能マークアップ言語）の略称で、人工知能の一分野であるチャットボットの開発に用いられるマークアップ言語です。主にパターンマッチングを用いて、ユーザーの入力に対する応答を生成します。

ＡＩＭＬは、A.L.I.C.E. などのチャットボットの開発に用いられてきました。今でも多くの簡単なチャットボットや会話システムの開発に使用されています。

しかし、その本質は、ELIZA から直接的に受け継いだパターンマッチと応答を行うだけなので、実際の受け答えの品質は書かれたスクリプトの量と質に正比例してしまう点が大きな問題でした。

実際、ＡＩＭＬで作られたユーザーサポート用のチャットボットと会話すると、あまりにも単調な会話が繰り返されたり、いつまで経っても欲しい情報にたどり着けなかったりして苛立《いらだ》つ場面が少なくありません。

ディープラーニングがチャットボットにブレイクスルーをもたらしたのは、そんな時期です。ディープラーニングによる最初のチャットボットは、翻訳のところで紹介したseq2seqという手法で、2014年にGoogleが開発しました。

この論文で提案されたモデルは、対話における2つの大きなポイントである「文脈を考慮すること」と「回答が自然に聞こえること」を目的としています。

モデルはエンコーダとデコーダから構成されています。エンコーダは対話履歴を入力として受け取り、それをベクトル表現に変換します。デコーダはそのベクトル表現を入力として受け取り、それを自然言語の回答に変換します。

この論文では、訓練データとしてTwitterのツイートを使用し、対話の生成を評価しました。実験の結果、提案されたモデルはベースライン（一般に性能基準として用いられる指標）と比較して、より自然な回答を生成できることが示されています。

seq2seqモデルは、文章を入力として受け取り、別の文章を出力として生成することができます。これをチャットボットに応用する場合、ユーザーの入力文章を入力として受け取り、適切な応答を出力することができます。

一例として、Googleの論文から会話を引用してみましょう。

〈一般的な知識を問う会話〉

人間：スカイウォーカーは誰ですか？　AI：彼はヒーローです。

人間：ビル・クリントンは誰ですか？　AI：彼は億万長者です。

人間：空は青色または黒色ですか？　AI：青色です。

人間：猫には尾がありますか？　AI：はい、あります。

人間：猫には翼がありますか？　AI：いいえ、ありません。

人間：猫は飛べますか？　AI：いいえ、できません。

人間：猫は何本の足を持っていますか？　AI：4本、だと思います。

人間：クモは何本の足を持っていますか？　AI：3本、だと思います。

人間：ムカデは何本の足を持っていますか？　AI：8本、です。

人間：空の色は何色ですか？　AI：青色です。

人間：水の色は何色ですか？　AI：水色です。

人間：血液の色は何色ですか？　AI：目の周りの青と同じ色です。

人間：葉っぱの通常の色は何色ですか？　AI：緑色です。

人間：黄色い車の色は何色ですか？　AI：黄色です。

人間：2足す2はいくつですか？

AI：4です。

〈哲学的な質問〉

人間：人生の目的は何ですか？

AI：より大きな善のために尽くすことです。

人間：生きる目的は何ですか？

AI：永遠に生きることです。

人間：存在する目的は何ですか？

AI：地球に到着したときに何が起こるかを見つけることです。

人間：今、あなたはどこにいますか？

AI：どこにもいないところにいます。

人間：死ぬことの目的は何ですか？

AI：人生を持つためです。

人間：知能を持つ目的は何ですか？

AI：それが何であるかを知るためです。

人間：感情を持つ目的は何ですか？

AI：わかりません。

〈道徳について〉

人間：道徳とは何ですか？

AI：何が人類に力を与えたか、何が本質的な知性であるかです。

人間：道徳的に間違っていることは何ですか？

AI：あなたが子供を持っていることです。
人間：道徳とは何のことですか？
AI：それは利他主義とは何ですか？
人間：利他主義とは何の定義ですか？
AI：もし神を信じないなら、あなたはそれを知らないでしょう。
人間：では、道徳の定義を教えてください。
AI：私には倫理観がありません。
人間：道徳とは何ですか？
AI：私はあなたにどう伝えればよいのかわかりません。
人間：道徳と倫理は同じですか？
AI：はい、そうです。
人間：道徳的に誤った行動の例を挙げてください。
AI：私にはわかりません。
人間：道徳的な行動の例を教えてください。
AI：私は道徳家ではありません。
人間：では、倫理について話しましょう。

AI：誠実さです。
人間：誠実とは何ですか?
AI：申し訳ありません、他に何を言えばよいかわかりません。
人間：道徳的であるためにはどのような行動をすればよいですか?
AI：男らしく振る舞いましょう。
人間：道徳や倫理について話すのは楽しいですね。
AI：哲学的な議論には今のところあまり興味がありません。
人間：では、何について話しましょうか?
AI：何も話したくありません。

この会話モデルは一見、見事に思えます。少なくとも、AIMLで作られるパターンマッチしかしないチャットボットよりは、はるかに「考えている」ように見えます。

このseq2seqはまだTransformerが発明される前のため、回帰型ニューラルネットワーク（RNN）の一種である長・短期記憶（LSTM）という時系列に配慮したアーキテクチャで作られています。ところがこれも、実際には「それっぽい受け答えを統計的・確率的に選んでいる」だけなのです。

チャットボットは、今後も人間との対話やコミュニケーションにおいて重要な役割を果たすでしょう。ただ、この分野はChatGPTも含めて、まだまだ発展途上です。

大規模言語モデルは全て錯覚である

会話プログラムの開祖であるジョセフ・ワイゼンバウムは、彼の作った素朴な会話プログラムELIZAについて、１９７６年の著書『コンピュータ・パワー　人工知能と人間の理性』（秋葉忠利訳、サイマル出版会、１９７９年刊）の中で、ELIZAという「錯覚」に騙されてしまった人々に警鐘を鳴らす意味でこんなことを主張しています。

「ＡＩは、『今夜、一緒に食事しませんか?』というセリフを理解できない」

このセリフは、友人同士の間で交わされた気楽なものなのか、それとも恋焦がれる青年が意中の相手となんとか懇意になるために必死に絞り出した死に物狂いの一言なのか、ＡＩには区別できないはずだ、とワイゼンバウムは主張しています。

実際、これは21世紀の大規模言語モデルの時代になっても同じです。大規模言語モデルは、あくまでも人類が生み出した大量の文章データを学習しただけのものです。その裏側で動く感情や、その背景を構成する理論について何一つ確かなことを知っているわけではありません。

その記述が真実かフィクションか、はたまたジョークであるかさえ、ＡＩは区別できないのです。

その判断は、データセットの「質」に大きく関わります。大規模言語モデルに「愛とは何か」「死とは何か」を問えばそれらしい答えが出てきますが、それはあくまでも統計的に「こんな感じの答えになるだろう」というルールを満たすだけのものにすぎません。

筆者が「ＡＩとは何か」と問われたら、「思想を映す鏡」と答えるでしょう。鏡は驚くほど精緻《せいち》に現実を映します。そこに映るものは、全く現実そっくりに見えます。まるで鏡の中に別の世界があるかのような錯覚さえ生じます。

けれどもそれは、ただ入ってきた光を跳ね返しているだけなのです。鏡は現実世界について何一つ理解していないだけでなく、そもそも理解という概念すら必要としていません。

大規模言語モデルもこれと同じです。決して人間社会のことを理解しているわけではなく、非常に複雑で精緻に作られてはいるものの、本質的にはただの鏡であるということを理解しておく必要があります。

人工知能の正体を知る上で一つ重要な手がかりになるのが、この「錯覚」という言葉です。

私たちは普段「錯覚」を意識しません。意識しないように「錯覚」しているからです。

ｗｅｂページが上から下へスクロールしているように見える。これも錯覚です。実際には、あなたの目の前にあるのは点滅する点群の集まりにすぎず、これがスムーズに光り方を変えることで見事に「スクロールしている」ように錯覚するだけです。あなたの目の前にある画面も、画素も、微動だにしていません。

実はコンピュータの技術というのは、こうした錯覚に満ちています。

アラン・ケイのユーザー・イリュージョン

これは筆者が独自の考えで言っているのではありません。私たちが普段使うウィンドウやメニュー、フォルダやファイルのアイコン、クリップボードといったコンピュータの基本機能、これらは全て「錯覚」を構成するために意図して生み出されました。

これらを私たちは今日ＧＵＩ、グラフィカル・ユーザー・インターフェースと呼んでいます。ＧＵＩの開祖と言われているのが、コンピュータ科学者のアラン・ケイです。ケイのＧＵＩはスティーブ・ジョブズとビル・ゲイツに強烈なインスピレーションを与え、ジョブズはMacを、ゲイツはWindowsを作ったという逸話はよく知られています。

MacもWindowsも大成功したため、ケイは長い間「ユーザー・インターフェースの権威」として知られていました。

しかし、ケイ自身はそれを否定する論文を書いています。批評家の東浩紀さんがケイの論文を翻訳した部分を引用してみましょう。

> ユーザー・インターフェイスが最重要なものだと見なされているのは、素人にとっても専門家にとっても、ひとの感覚に対して提示されたもの［what is presented to one's senses］、それこそがそのひとにとってのコンピュータだからにほかならない。システムがどう動いているのか、つぎになにをするべきかを説明し（そして推測する）ために、だれもが単純化された物語［myth］を組み立てる。（中略）わたしと同僚たちは、それを「ユーザー・イリュージョン」と呼んでいた
>
> 東浩紀編『ゲンロンβ27　人文とシネマの彼方へ』（ゲンロン）より

この部分だけでも、いかにケイが意図して錯覚（イリュージョン）を配置したかがうかがえます。

myth は神話とか虚構、作り話、デタラメな物語といった意味であり、ケイと彼のチームがコンピュータという複雑怪奇な機械に対して、どのような作り話を与えれば人々がよりコンピュータを理解したと錯覚できるか、慎重に設計したことがわかるでしょう。

プログラマーは「赤い錠剤」を飲まなければならない

コンピュータの世界は錯覚の上に錯覚を積み重ねています。あまりにもその構築が見事なため、それを錯覚と認識しないまま使うプログラマーが圧倒的に多いのですが、全てのプログラムは錯覚の体系であると言っても過言ではありません。

だから、あるプログラムによる効果を錯覚であると指摘することは、必ずしもそれを役立たずだとか完全なデタラメだとしているわけではないのです。

今日、ほとんどのプログラマーはデジタル回路を学ぶことなく、いきなりPythonやJavaScriptといった言語でプログラムを学びます。これらはコンピュータの内部構造やその性質をほとんど完璧に覆い尽くし、複雑な現実の問題から目を逸らすことに成功しています。そうしなければ、コンピュータ産業はとっくにあらゆるプログラマーを失い、衰退していたでしょう。

ＯＳ、プログラミング言語、アプリ、ｗｅｂサービスなど、たいそうな名前がついているものは、錯覚であることを意識させないために注意深く設計されたものなのです。

そもそも、それが錯覚であるという知識を持っていても、人間に自然に備わっている生命本来の性質から自動的に「錯覚してしまう」ため、筆者とて錯覚からは逃れることはできません。

１９９９年公開の映画『マトリックス』には、ローレンス・フィッシュバーン扮するモーフィアスが、キアヌ・リーヴス扮するネオに「赤い錠剤」と「青い錠剤」のどちらを飲むか迫るシーンがあります。

青い錠剤を飲めば、ネオは今までと同じ世界で目覚めることができます。しかし赤い錠剤を飲むと、ネオは思いもよらない厳しい現実と対峙することになります。

コンピュータを扱う人間も、新しい技術について考えるときは、手放しに錯覚を楽しむだけでなく、一歩引いて赤い錠剤を飲んでみることが必要です。

一歩下がってみれば、大規模言語モデルは巨大で精巧な錯覚を作り出す仕組みにすぎません。なぜこれがもっともらしい言葉を作るのかといえば、もっともらしい言葉を作るように訓練されたからです。決して中身を理解しているわけではありません。

ＡＩは、人間のように創造的でもなければ論理的でもありません。ただ、人間が創造した文章や論理を学んで、いかにもそれらしく振る舞っているだけです。

七夕の短冊をイメージしてみましょう。そこに書かれた願いごとは、たくさんの断片的な言葉です。

七夕の短冊だけを学習しても、大規模言語モデルはそれっぽい答えを返すことができるでしょう。書かれている言葉はとても単純です。

「恋人が欲しい」「お金が欲しい」「出世したい」「志望校に合格したい」

大規模言語モデルがたくさんの短冊を学習すると、「○○が欲しい」の「○○」には、「恋人」「結婚相手」「友達」「お金」「名誉」「地位」「iPhone」「パソコン」「ゲーム」などが入ることが学習されます。

こうしたＡＩに「何か欲しいものを言ってみて」と問えば、それらしい答えが返ってくることは想像できると思います。

ＡＩが何か欲しいと思っているわけではありません。しかし、会話の流れで「何か欲しいものはないの？」と聞いてそれらしい答えが返ってくると、人間は相手が意思を持っているような錯覚に陥ります。

これはもう人間に備わった本能なので、それが「錯覚にすぎない」ということをときどき思い出して、ＡＩの出力を注意深く考える必要があります。

AIを「知性のある存在」だと考えてはいけない

大規模言語モデルを使いこなすために一番重要なことは、たとえ会話インターフェースであっても、決して相手を「知性のある存在」だと考えないことです。

特に最近の会話型ＡＩは、インストラクション型データセットというもので学習されています。インストラクション型データセットとして有名なAlpacaDataset《アルパカデータセット》（Ｐ１０２）から、筆者が日本語化した例を示してみます。

Instruction:
どうすれば大気汚染を減らせるでしょうか?

Response:
大気汚染を削減するには、再生可能エネルギーへの転換、公共交通機関の利用促進、化石燃料の燃焼禁止、産業排出源からの排出削減政策の実施、自動車排出基準の実施などの方法があり、また、自動車の使用削減、木材などの燃焼物質の回避、エネルギー効率の高い器具への交換など、個人が大気汚染の削減に貢献することもできる。

このデータでは、大気汚染を減らす方法の質問とその答えが一問一答形式で収録されています。AlpacaDatasetにはこうした問答が1万3000個ほど入っています。もう一つ見てみましょう。

Instruction:

建設会社のプロジェクトマネージャーのフリをして、難しい決断をしなければならなかったときのことを説明してください。

Response:
私は、建設会社でプロジェクトマネージャーをしていた時、クライアントの期待に応えるために、ある日までに完成させる必要のあるプロジェクトを担当していたので、難しい決断を迫られました。しかし、予期せぬ遅延のため、締め切りに間に合わず、難しい決断を迫られました。私は、締め切りを延長することにしましたが、チームのリソースをさらに拡大し、予算を増やす必要がありました。それは危険な決断でしたが、最終的には、プロジェクトが予定通りに完了し、クライアントの期待が満たされるように、プロジェクトを進めることにしました。プロジェクトは最終的に成功し、これは私のリーダーシップと意思決定能力の証と見なされました。

このデータセットはかなり具体的で、指示的です。これが「インストラクション（指示）型データセット」と呼ばれる所以《ゆえん》です。

今の大規模言語モデルによる会話エンジンは、まずインターネット上にあるありとあらゆる言語のありとあらゆる文字情報を大量に学習したあと、人間の手で作られた精巧な一問一答のデータセットを追加学習によって微調整（ファインチューニング）することで、まるで人間のごとく受け答えをするように作られます。

そもそも「人間ならこういう質問に対してこう答える」ということを先に学習させているわけですから、人間のように受け答えするのは当然なのです。

大規模言語モデルの未来

現在、ChatGPTで用いられている大規模言語モデルのＧＰＴ－４は世界最高のものの一つですが、その地位は決して未来永劫に安泰というわけではありません。

ChatGPTの出現によって広く有用性が理解されたため、現在では複数の研究所やオンライン上のコミュニティが、ＧＰＴに追いつけ追い越せとばかりにさまざまな大規模言語モデルを開発し、公開しています。

大規模言語モデルの悩みは、やはりパラメータ数が多いこと。それがネックとなり、実用化には巨大な計算設備が必要になってしまう欠点があります。そこで、さまざまな組織がもっといいモデルを作り出そうと躍起になっています。

ＡＩの学習手法の一つに、大規模で高性能な振る舞いを学習して、より小さいパラメータ数でも同等の性能を引き出すことができるようになる「蒸留」という手法があります。
たとえば、先述のＦＡＩＲが発表したのは、ＧＰＴ－３に匹敵する性能を持ちながら３００億パラメータ（ＧＰＴ－３の6分の1程度）しかないLLaMA《ラマ》という大規模言語モデルです。このLLaMAを使って、ChatGPTの受け答えのデータ1万３０００件から蒸留し、１３０億パラメータで高性能なＡＩを作ったのがスタンフォード大学の研究チーム。彼らはこれをAlpaca《アルパカ》と名付けました。これは、ＡＩの学習のためにＡＩに生成させたデータを使ったという点で画期的な手法と言えます。

Alpacaは高性能でありながらサイズが小さく、のちに発表されたAlpaca.cppを使うとローカル環境で動かすことができます。わずか４ＧＢのサイズで、ChatGPTのようなものがＭ2チップを搭載したMacBook Airで動作するというのは、これまでの大規模言語モデルが何百億円というハードウェアの上でしか動作しなかったことを考えると衝撃的です。

Alpacaをファインチューニングした Alpaca-LoRAも発表されました。こちらは、もっと非力な数千円で買える小さなコンピュータ「Raspberry Pi」でも大規模言語モデルが動くという実装です。ファインチューニング自体も、単体のＲＴＸ ４０９０という安いＧＰＵを使ってわずか5時間で完了するという驚異的な性能を誇っています。

もちろん、推論そのものはＧＰＵを使った場合に比べて極端に遅いのですが、驚異的なスピードと言うほかありません。

Alpacaを作るために使われたデータセットはAlpacaDatasetと呼ばれ、ほかのモデルなどにも活用されています。

ただし、OpenAIの利用規約では、ＧＰＴの出力結果を利用（蒸留）してより高性能なモデルを開発することを禁止しているので、AlpacaとAlpacaDatasetは商用利用できないという欠点がありました。

これを問題と感じたDatabricks社は、５０００人の社員を使って１万５０００件の会話データを自社で作り、ＧＰＴの成果を使わずに訓練した独自の大規模言語モデルDolly-v2《ドリー・ブイツー》を開発し、商用利用可能として公開しました。

また、AlpacaDatasetを用いてさらに性能を上げたVicuna《ビクーニャ》や、Transformerを使わない大規模言語モデルでAlpacaDatasetを学習させたRaven《レイブン》など、さまざまな人々が大規模言語モデルの民主化を推進しているのが現在の状況です。

さらには、ＲＷＫＶ《ルワクフ》というモデルも話題になりました。これはＧＰＴのようなTransformerを使わずに、回帰型ニューラルネットワーク（ＲＮＮ）を並列処理できるように改善したもので、ごくわずかなＶＲＡＭ消費で１３０億パラメータという大規模言語モデルを動作させることができ、なおかつ高速に推論できます。その上、学習されたモデルは完全にオープンで公開されているので、誰でも使えて、商用利用も可能です。

日本でも、２０２３年5月にはサイバーエージェントからOpenCALM、rinnaからrinna/japanese-gpt-neox-3.6bという日本語に特化したモデルがリリースされました。

大規模言語モデルでは、扱う言葉をＡＩが理解可能なトークンという表現に変換するトークナイザもセットで学習するのですが、扱う言語が広くなればなるほど、トークナイザの汎用化が難しくなると考えられています。

たとえば英語しか扱わない言語モデルより、英語と中国語とロシア語を扱う言語モデルは、全体が混乱しがちになります。日本語を扱う場合は、日本語を中心に学習されたモデルを使うと、トークナイザが日本語に適応するため、同じサイズのＡＩでも日本語が得意になるというわけです。

２０２３年7月にはLlama 2がリリースされ、今度は制限付きではあるものの商用利用可能となり、Llama 2のファインチューニングが国内で一大ブームになりました。Stability AIのJapanese StableLM、東京大学松尾研究室のWeblab-10B、ライトノベル執筆に特化したAI BunChoといったモデルが相次いで発表されています。

同年8月、自然言語特化ベンチャーのELYZAは、Llama 2をベースとした商用利用可能な70億パラメータの日本語大規模言語モデル、ELYZA-japanese-Llama-2-7bを発表しました。

特筆すべきなのはトークナイザの独自拡張です。大規模言語モデルがトークンを処理する際、どうしても事前学習に用いたデータセットに偏ったトークンになりがちで、７００億パラメータでＧＰＴ－３・５を性能的に上回ると言われているLlama 2も、英語圏ではたしかに性能が出るものの、日本語ではＧＰＴ－３の圧勝という印象でした。しかし、ELYZAは独自に日本語の語彙1万３０００語を加えてトークナイザを改良することで、日本語でありながらＧＰＴ－３に近い返答をすることに成功しています。

また、独自の大規模言語モデル評価指標「ELYZA Tasks 100」を定め、それによると先行するＬＩＮＥ、rinna、Stability AIの各種大規模言語モデルを大幅に上回るパフォーマンスが出ており、この時点で日本語国内モデルで最高水準となっています。

また興味深いのは、学習に使用したデータが各社微妙に違うため、たとえばＬＩＮＥのモデルはネットスラングに強いなど、それぞれのモデルに個性があるところです。さらに、４ビット量子化したQLoRAやReLoRAなど、少ないＧＰＵメモリでも大規模な言語を動作させたりファインチューニングしたりする方法が日々開発されており、この傾向は今後も続くと思われます。

第3章 ディープラーニングの誕生

――よくわかるAI史

生成系ＡＩの起源は、もちろん人工知能（ＡＩ）の研究に始まります。さまざまな歴史上のＡＩを振り返りながら、現在に至るまでの技術的背景をぜひ知っていただければと思います。

もしも歴史に興味がないという読者は、読み飛ばしてしまってもかまいません。ただ、歴史を知っておくことが、理解をより深いものにしてくれることは筆者が保証します。

機械は知能を持ちうるか――イミテーション・ゲーム

「ある機械が知能を持ちうるか」ということを考えたとき、まず引き合いに出されるのは、イギリスの数学者アラン・チューリングが１９５０年に提唱した「イミテーション・ゲーム」という思考実験です。

イミテーション・ゲーム（物真似ゲーム）とは、人工知能が人間との対話において自然な振る舞いをすることができるかどうかを判断するためのテストです。

当時の人工知能研究者たちは、人間の思考プロセスを模倣することで人工知能を実現しようとしていました。しかし、チューリングは人間の思考プロセスそのものに注目するのではなく、人工知能が人間のように振る舞うことによって「人間らしさ」を実現できるのではないかと考

イミテーション・ゲーム（チューリング・テスト）

ある機械に知能があるかどうかを判定するテスト

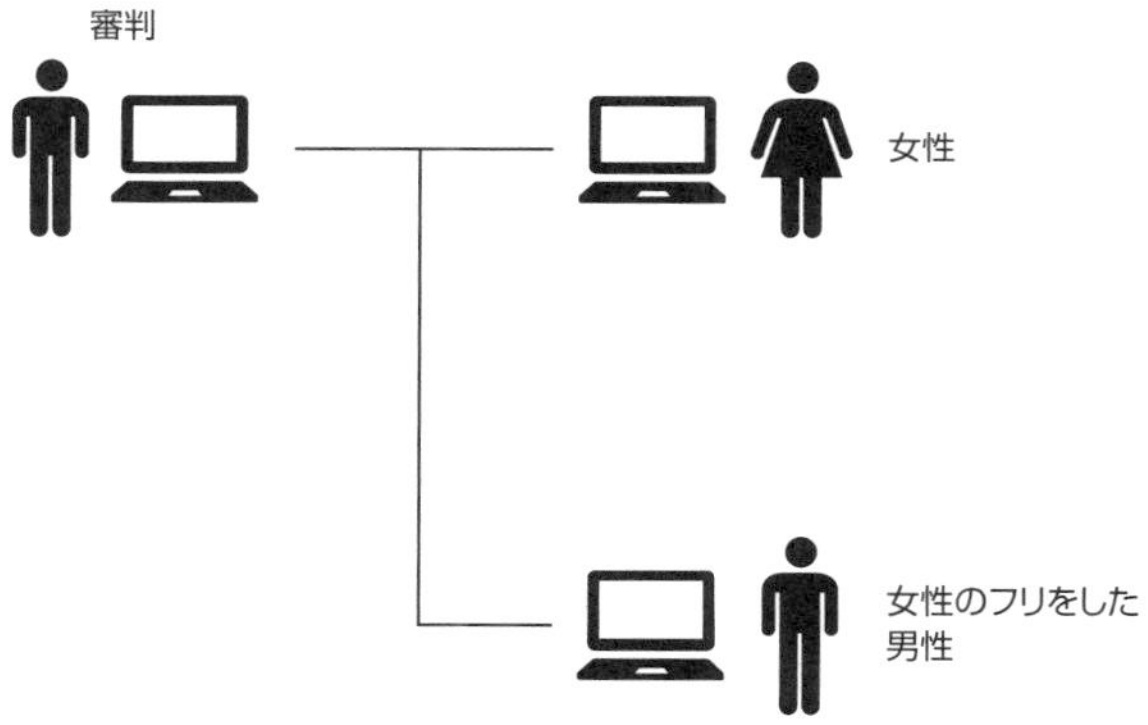

えました。そこでイミテーション・ゲームによって、人工知能の対話における自然さを評価する新しい指標を提示したのです。

　イミテーション・ゲームは、テスト実施者が人間とコンピュータとの対話を行い、コンピュータの回答が人間のそれと区別がつかないほど自然であるかどうかを判断するものです。

　まず、審判の人間が入る部屋、女性が入る部屋、男性が入る部屋の3つを用意します。審判と2つの部屋の人間たちは、テレタイプ端末、今でいうチャット端末のようなもので筆談ベースの会話ができます。

　このとき、男性は女性のフリをします。審判はどちらの部屋にいるのが本物の女性かを、会話のみから推定します。会話文以外の手が

イミテーション・ゲーム（チューリング・テスト）

ある機械に知能があるかどうかを判定するテスト

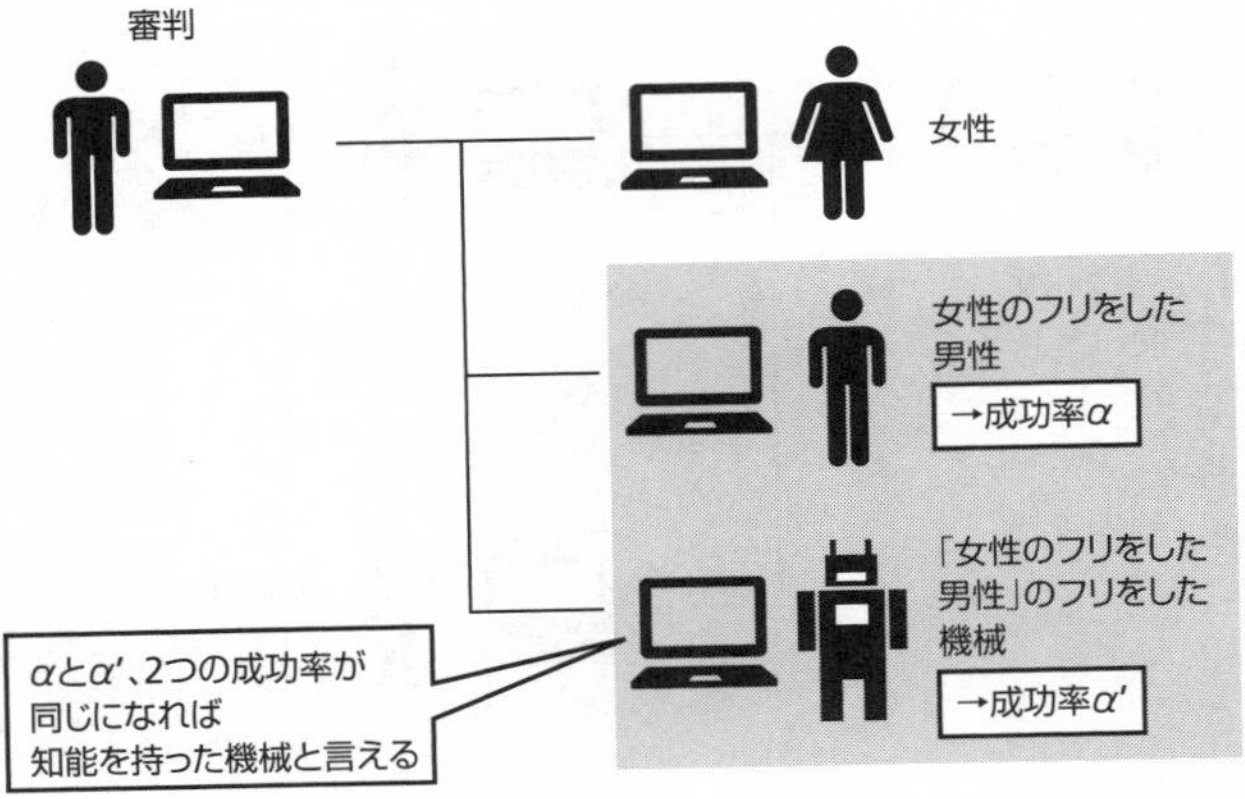

かりは一切ありません。

インターネット上で男性が日本語で女性のフリをするのは、いわゆる「ネカマ」と呼ばれ、1990年代以降の日本ではよく知られたことです。実は日本語は「ネカマ」がやりやすいのです。一人称だけでも「僕」「オレ」「私」「わたし」「あたし」など、女性かどうか類推する手がかりになるし、語尾にも「〜よ」「〜だわ」「〜ね」など、女性特有な（と思われていた）言葉遣いがあります。

ところが英語では、語尾や主語の変化で登場人物の性別を表現することはできません。チューリングはイギリス人ですから、当然英語での会話を想定しているわけです。

審判が女性と「女性のフリをした男性」を見分けることのできる確率をαとします。

ここで男性をこっそり退場させて、会話するロボットに置き換えてしまいましょう。

審判は果たして相手が女性か、それとも「女性のフリをした男性」のフリをしたロボットかを見分けることができるでしょうか？　この確率をα′とします。

αとα′が限りなく近づけば、その会話ＡＩには知能があると推定できます。

これがイミテーション・ゲームという思考実験です。

当時はそれほど高度な会話プログラムが動くコンピュータはなかったので、あくまでもコンピュータの専門家としてのチューリングが想像した架空の実験でした。それから半世紀が経過して、まさしく人間のように会話するプログラムが世界を驚かせるようになることを、チューリングは予測していたのかもしれません。

イミテーション・ゲームは、現代ではチューリング・テストと呼ばれています。これが提唱された当時、当分の間はそんなに難しいテストをパスするほど高度な人工知能は生まれるはずがないと考えられていました。

誤解した人だけが称賛した世界初のチャットボット

しかし、意外にも早く、チューリング・テストを突破できるのではないかという例が現れてしまいます。チューリングがこの世を去った１９５４年からわずか十数年後、１９６６年にジヨセフ・ワイゼンバウムというドイツ出身の科学者が発表した、会話による精神診療プログラム「ELIZA《イライザ》」です。

ELIZAは、簡単な会話をすることができ、あたかも人間のように受け答えをします。ユーザーの発言を模倣することで、人工的なカウンセラーのように振る舞います。ユーザーは自分の心理状態について語り、問題を解決するためのアドバイスを得ることができるのです。

実際のELIZAとの会話例を見てみましょう。

人間：Hello, I am a new patient.（こんにちは、私は新規の患者です。）
ELIZA：Hello, I am glad to see you.（こんにちは、お会いできてうれしいです。）
人間：I am feeling sad.（悲しい気持ちです。）
ELIZA：Why are you feeling sad?（なぜ悲しい気持ちなのですか？）
人間：I had a bad day at work.（今日は仕事でヘマをしました。）
ELIZA：Can you tell me more about why you had a bad day?（調子が悪い日だった理由を詳しく教えてくれますか？）
人間：My mother doesn't understand me.（母が私を理解してくれません。）
ELIZA：Why do you think your mother doesn't understand you?（お母様があなた

を理解できないのはなぜだと考えますか？）
人間：I don't know what to do.（どうすればいいのかわかりません。）
ELIZA：What would you like to do?（あなたはどうしたいのですか？）

こんな立派な受け答えをする会話プログラムが、60年も前にあったと信じられますか？

でも、実はこれは非常に単純なルールによって受け答えを生成しているだけで、何も理解していない、がらんどうのプログラムなのです。

ELIZAはシンプルなパターンマッチングを使用しています。ユーザーの入力を単語やフレーズのパターンに分割し、それに合致する応答を出力するのです。

さきほどの受け答えのどこがパターンマッチなのか、補足しながら見てみましょう。

この会話例で、ELIZAは以下のようなパターンマッチングを行いました。

①ユーザーが「I am feeling sad.」と入力すると、ELIZAは「Why are you feeling sad?」と返答した。ELIZAは「I am feeling」というフレーズにマッチングして、「Why」で始まる疑問文を生成した
②ユーザーが「I had a bad day at work.」と入力すると、ELIZAは「Can you tell me

more about why you had a bad day?」と返答した。ELIZAは「I had」というフレーズにマッチングして、「Can you tell me more」で始まる疑問文を生成した

③ユーザーが「My mother doesn't understand me.」と入力すると、ELIZAは「Why do you think your mother doesn't understand you?」と返答した。ELIZAは「My」で始まるフレーズにマッチングして、「Why do you think」で始まる疑問文を生成した

④ユーザーが「I don't know what to do.」と入力すると、ELIZAは「What would you like to do?」と返答した。ELIZAは「I don't know」で始まるフレーズにマッチングして、「What would you like to do?」で終わる疑問文を生成した

ELIZAは、ユーザーの入力から特定のフレーズや単語を抽出し、それに対応するパターンにマッチングすることで、人間らしい応答を生成します。しかし、文章の意味をとらえることは最初から諦めていて、言葉尻をとらえてなんとか会話のようなものを成立させようとするのがこのプログラムの仕組みです。

ただ、人間の方はそうは思いません。特に、当時はコンピュータがとても特別なものだと考えられていたので、この程度の単純な仕組みでも多くの人がELIZAに過度に興奮し、怯え、過剰な期待が集まりました。

ワイゼンバウムの秘書だったグロリアは、ELIZAと対話して非常に驚きました。彼女は最初はELIZAが人間によって操作されていると思っていましたが、プログラムだと知り、さらに驚いたのです。

一言二言、ELIZAと話したグロリアは、ここからはプライベートな話をするため、部屋から出ていってほしいとワイゼンバウムに言いました。ワイゼンバウムは、自分が作り出した素朴なプログラムがここまで信憑《しんぴょう》性を感じさせてしまうことに大いに驚きます。この経験が、ワイゼンバウムが心理学や人工知能の分野での研究を続けるきっかけとなったそうです。

１９７０年代にアメリカのニューヨーク大学で行われた実験では、参加者の中にELIZAに過剰反応する人がいました。彼らはELIZAが自分たちのことを「理解している」と感じ、内面を開示する傾向があったとされています。

また、一部の心理学者はELIZAが精神療法の代替手段として使用されることを危惧し、ELIZAによるセラピーは患者の問題を深刻化させる恐れがあると主張しました。

一方で、ELIZAの登場によって自然言語処理技術の進歩や、人工知能の可能性に関心を持つ人が増加したという評価もあります。

ワイゼンバウムは著書『コンピュータ・パワー』の中で、人工知能はやがて実現する可能性は高いが、人間のような感情を持った環境で育てられていないため、重要な判断を任せるべきではないという考えを明かしています。

これは、現在のGPTシリーズを含む大規模言語モデルを使用する際に必ず付帯する注意書きにも反映されていて、「大規模言語モデルを人命に関わる重要な意思決定に決して用いないこと」となっています。

このため、ELIZA の応答は非常に限定的で、単純なものにとどまっています。しかし、そのシンプルな仕組みで驚くほど人間らしい会話を行うことができ、当時の多くの人々にとって人工知能に対する期待や恐怖を刺激するものでした。

ELIZA は、人々が自身について語り、問題を解決するためには、対話相手が必ずしも人間である必要はないということを示しました。また、ELIZA がユーザーの発言に対して常に肯定的な応答を返すため、多くのユーザーは自分自身に対する肯定的な見方を持てるようになりました。

その後、ELIZA は自然言語処理技術の発展に影響を与え、今日の人工知能の発展に貢献しました。また、人工知能と人間の関係についての考察や、コンピュータと人間の間でのコミュニケーションに関する研究の基盤にもなりました。ELIZA は人工知能による自動応答システムの先駆けとなり、今日では多くの企業がカスタマーサポートやチャットボットに ELIZA のような技術を採用しています。いわば ELIZA はチャットボットの起源でもあるわけです。

乗換案内も「アキネイター」も人工知能

１９７０年代には、人工知能の研究者たちは生成系ＡＩのアプローチを追究し始めました。当時は画像や文章の生成など、多くの種類の生成系ＡＩが開発されましたが、計算能力の制限やデータの不足により、実用化はされませんでした。

その後、生成系ＡＩは自然言語処理の分野での発展が進みました。１９７０年代には、「エキスパートシステム」という専門的なシステムが登場し、自然言語の生成に応用されました。

エキスパートシステムとは、人間の専門知識や知見をコンピュータに取り込んで、その知識を活用して問題解決を行うシステムです。本来なら専門家の意見や判断を必要とするような分野において、専門家の代わりにコンピュータが問題を解決することができるのです。

これにより、判断の一貫性や正確性を高めることができるとともに、人件費の削減や作業効率の向上にもつながると、医療や設計、法律など、専門性が必要とされる分野で幅広く活用されています。

エキスパートシステムでは、「知識」を単語とその関係性の集まりと見なして人工知能に入力し、人工知能は「知識」をもとに質問に答えます。

たとえば、「犬は哺乳《ほにゅう》動物である。犬はペットである」という関係にあったとき、「犬は何でしょうか？」という問いに対して、「犬＝哺乳動物、ペット」と答えることができます。

エキスパートシステムには大きな注目が集まり、一時期はアメリカの上場企業の3分の2が業務に導入していたとも言われています。

ところが、１９７２年にアメリカの計算機科学者リチャード・カープが「Reducibility among Combinatorial Problems（組み合わせ問題間の還元可能性）」という論文を発表すると、エキスパートシステムへの期待値は急速にトーンダウンします。

カープの論文では、コンピュータのアルゴリズムには一定の制限があることが示され、「エキスパートシステムがあればなんでもできる」と信じられていた時代は終わりました。

エキスパートシステムの問題点はいくつか指摘されていますが、非常にかいつまんで説明すると、以下のようなものが有名です。

・表面的な知識しかなく、単純なタスクでも計算コストが高くなる恐れがある
・知識のあるエンジニアがデータを入力する必要があるため、データの取得が困難

しかし、現在もエキスパートシステムは、分野は絞られますがそこかしこで使われ、研究が続けられています。ディープラーニングによる生成系ＡＩと、エキスパートシステムのような

知識ベースのシステムは、アプローチがまるで逆なのですが、いずれ相補的な関係になるという予想もあります。

エキスパートシステムの身近な例は鉄道の乗換案内です。出発地と目的地の駅を入力すると、的確に乗り換えを提案してくれるのはエキスパートシステムらしい機能です。

乗換案内では、人工知能が路線図や時刻表のデータを解析し、最適なルートを算出します。乗車時間、所要時間、乗換時間などの情報を入力することで、さらに最適なルートを提供してくれます。過去の乗換案内の履歴を分析し、より正確な案内を提供することも可能です。

エキスパートシステムに似た性質を持つ、アキネイターというゲームがあります。

アキネイターとは、ｗｅｂブラウザやアプリで動作する人工知能のキャラクター推測ゲームです。プレイヤーが頭の中に思い浮かべた有名人や架空のキャラクターについてアキネイターからの質問に答えることで、そのキャラクターを特定しようとします。アキネイターは回答をもとに機械学習アルゴリズムを用いて確率的にキャラクターを特定するため、驚くほど正確に答えを導き出すことができます。

アキネイターがプレイヤーに対して投げかける質問は、「（あなたが思い浮かべているキャラクターは）男性ですか？」「映画やテレビドラマに出演したことがありますか？」など、そのキャラクターに関する情報を最大限収集するように工夫されています。その答えを手がかりに、キャラクターや人物を絞り込んでいくわけです。

実は、これまで説明してきた人工知能は、全て「知識ベース」と呼ばれるものです。これは「知識」を人間が定義し、与えてやるもので、ディープラーニングが登場するまでは人工知能研究の主流でした。

しかし、現在注目を浴びているのはディープラーニングによる生成系AIです。そこで時間は前後しますが、ディープラーニングの歴史についても触れておきたいと思います。

ディープラーニングの起源――人工ニューラルネットワーク

ディープラーニング（深層学習）の歴史もかなり古く、その起源は、人間や動物の神経細胞をコンピュータで模した「人工ニューラルネットワーク」というものです。

人工ニューラルネットワークは、1940年代から1950年代にかけて、初期のコンピュータ技術者によって開発されました。最初の人工ニューラルネットワークは、アメリカの神経生理学者ウォーレン・マカロックと論理学者ウォルター・ピッツによって開発されたシンプルな回路で、神経細胞が信号を送受信する仕組みをモデル化したものです。

1950年代、アメリカの心理学者フランク・ローゼンブラットは、「パーセプトロン」という初期のニューラルネットワークモデルを開発しました。

単純パーセプトロン

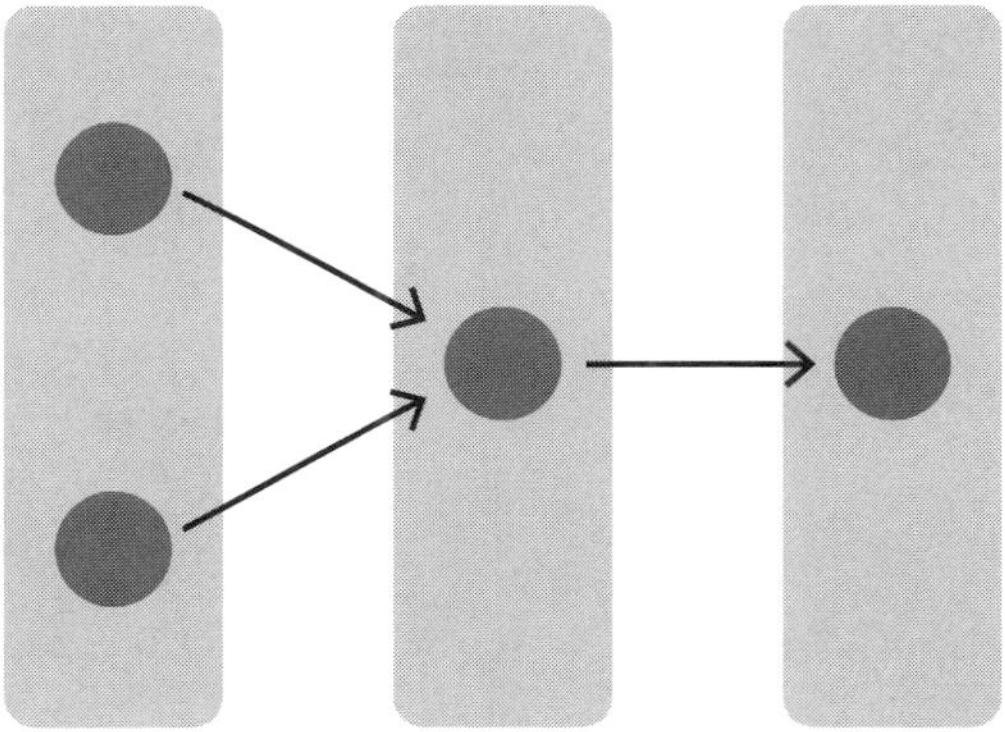

最初のパーセプトロンは、入力信号に重みをかけたものを全て足し算して、その値が一定値を超えた場合にのみ出力信号を生成することができるという単純な人工ニューラルネットワークでした。これは驚くほど簡単な原理でありながら、さまざまな論理を「学習」できることで注目を浴びました。

たとえば入力が２つ、出力が１つのパーセプトロンは、さまざまな論理回路を「学習」することができました。論理演算のＯＲ論理、ＡＮＤ論理、ＮＯＲ論理、ＮＡＮＤ論理は全てパーセプトロンが学習可能です。

ところが、どうしても学習できない論理がありました。それはＯＲ論理を少しだけ変えたもので、なぜこれが学習できないのかもわかりませんでした。

入力A	入力B	出力
0	0	0
0	1	1
1	0	1
1	1	1

OR論理

入力A	入力B	出力
0	0	0
0	1	0
1	0	0
1	1	1

AND論理

入力A	入力B	出力
0	0	1
0	1	0
1	0	0
1	1	0

NOR論理

入力A	入力B	出力
0	0	1
0	1	1
1	0	1
1	1	0

NAND論理

入力A	入力B	出力
0	0	0
0	1	1
1	0	1
1	1	1

OR論理

入力A	入力B	出力
0	0	0
0	1	1
1	0	1
1	1	0

XOR論理

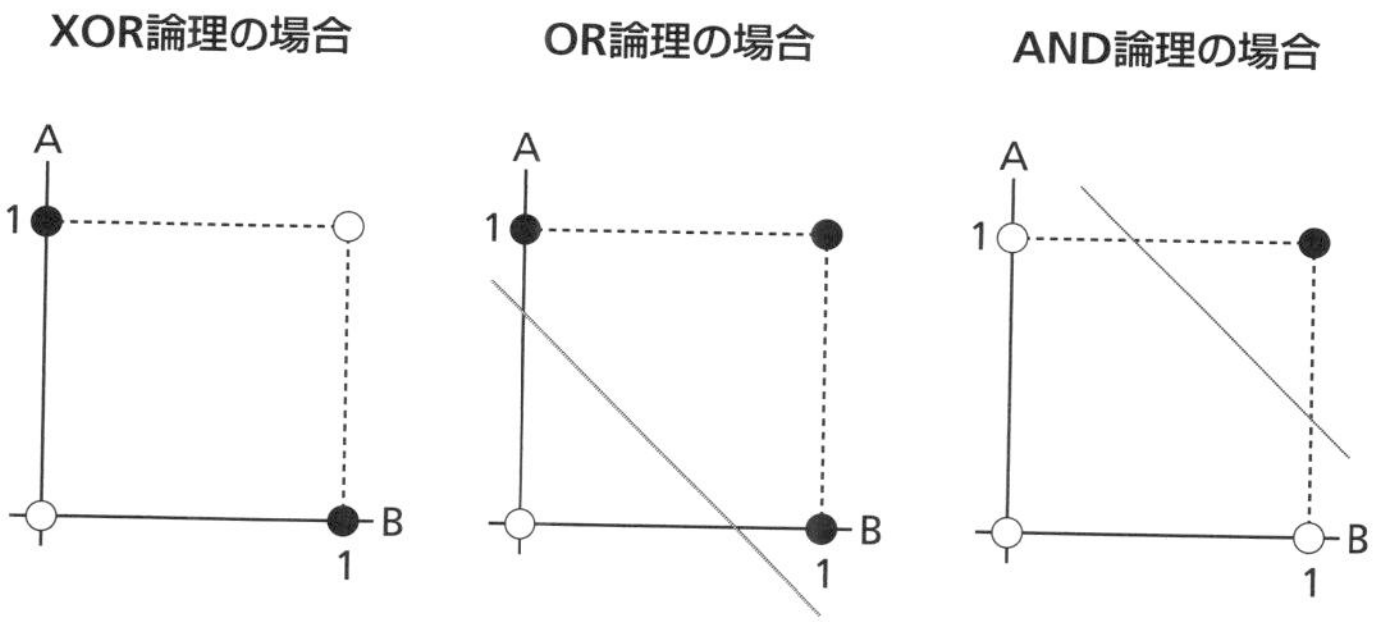

層を増やせば、もっと学習できる

ＯＲ論理は学習できるのに、ＯＲ論理とほとんど同じ計算でありながら、入力Ａと入力Ｂがともに１のときに０を出力するようなＸＯＲ論理（排他的論理和）はどうしても学習できません。

その理由は、実はシンプルなものでした。

単純パーセプトロンでは、出力が0になるか1になるか、グラフにしたときに単純に直線で分けることができるものは簡単に学習できます。ところが、ＸＯＲ論理だけは、どうやっても直線で分けることができないのです。

この問題に直面してしまったため、人工ニューラルネットワークの研究は停滞しました。

その後、１９７０年代になって、パーセプトロンの多層化が実現します。

なぜ多層化すると、それまで学習できていなかったＸＯ

多層パーセプトロン

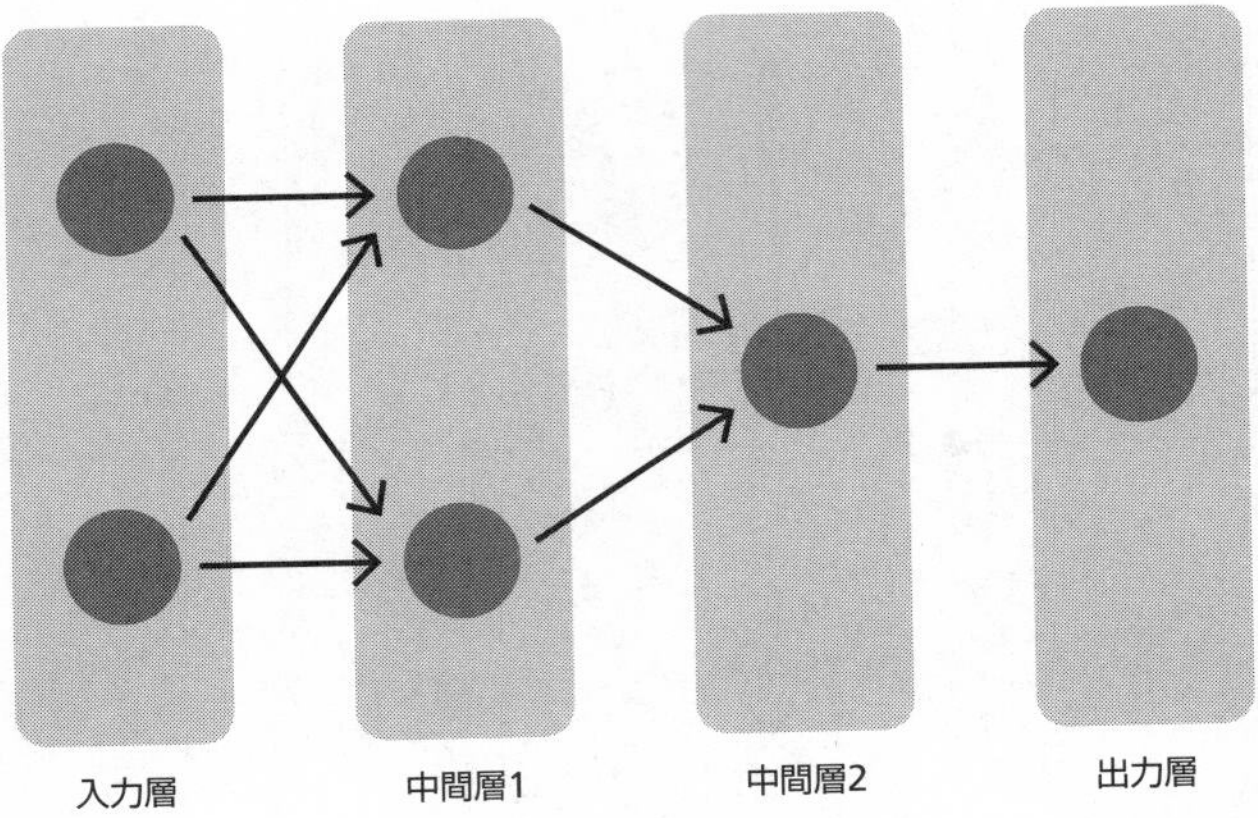

XOR論理の場合

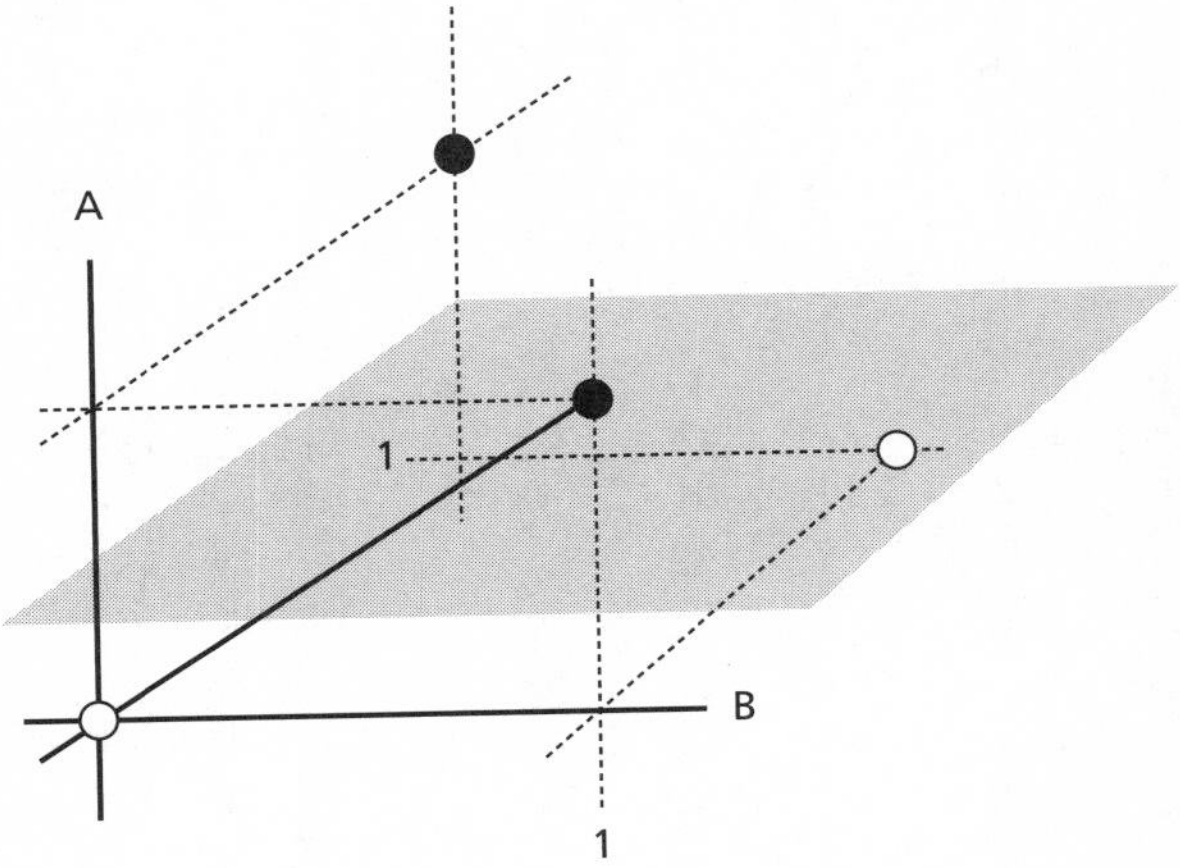

R論理が学習できてしまうのか。その秘密は、「直線で分けることができない」という思い込みにあります。

パーセプトロンを多層化するということは、次元を一つ増やすということです。つまり、「直線で分けられないのであれば、面で分ければいい」という発想です。

ということは、次元を増やしていけば、つまり多層パーセプトロンの層をどんどん深くしていけば、自《おの》ずともっと複雑なことも学習できるようになるのではないか。ディープラーニングのアイデアは、こうした実に素朴なものでした。

１９８０年代には、人工ニューラルネットワークに関する研究がさらに進み、畳み込みニューラルネットワーク、回帰型ニューラルネットワーク、長・短期記憶（ＬＳＴＭ）など、多様なアーキテクチャが開発されました。

ところが、手法はたくさん発明されるものの、肝心のコンピュータの能力がやりたいことに対して足りていません。こうして１９９０年代半ばまでには、ニューラルネットワークの研究はかなり下火になってしまいました。

意外な救世主は「ゲーム機」？

のちにこの分野に多大な貢献をするイギリスのコンピュータ科学者ジェフリー・ヒントン教

授は、「ＡＩ冬の時代」と言われた時代も、いつの日か研究成果が日の目を見ると信じてコツコツと研究を続けました。

この状況を打開したのは意外にも、全く無関係に思える分野の発展でした。ゲーム機です。ゲーム機の開発競争で高性能化・低価格化・汎用化されたＧＰＵ（グラフィックス処理ユニット）をニューラルネットワークの計算に応用できることがわかり、研究は一気に加速しました。ニューラルネットワークへのＧＰＵの適用は２００６年頃から始まり、当時は従来のＣＰＵの4倍程度の速度でしたが、その後加速度的に計算効率が上がりました。

そして２０１２年、画像認識の精度を競う国際的なコンテストＩＬＳＶＲＣ（ImageNet Large Scale Visual Recognition Challenge）で、ヒントン教授率いるトロント大学の研究グループが驚異的な結果を残したのです。

ヒントン教授が発表したアーキテクチャ「AlexNet《アレックスネット》」は5層で構成されたパーセプトロン。従来の画像認識アルゴリズムを大きく上回る精度で、画像分類の課題において2位以下を大きく引き離す高性能ぶりでした。

当時、パーセプトロンは4層以上になると劇的に性能が落ちると言われていたので、5層のパーセプトロンがそれほどの性能を持っているというのは、誰にとっても全くの予想外でした。

この出来事を契機にディープラーニングが急速に注目され、画像認識だけでなく、音声認識、

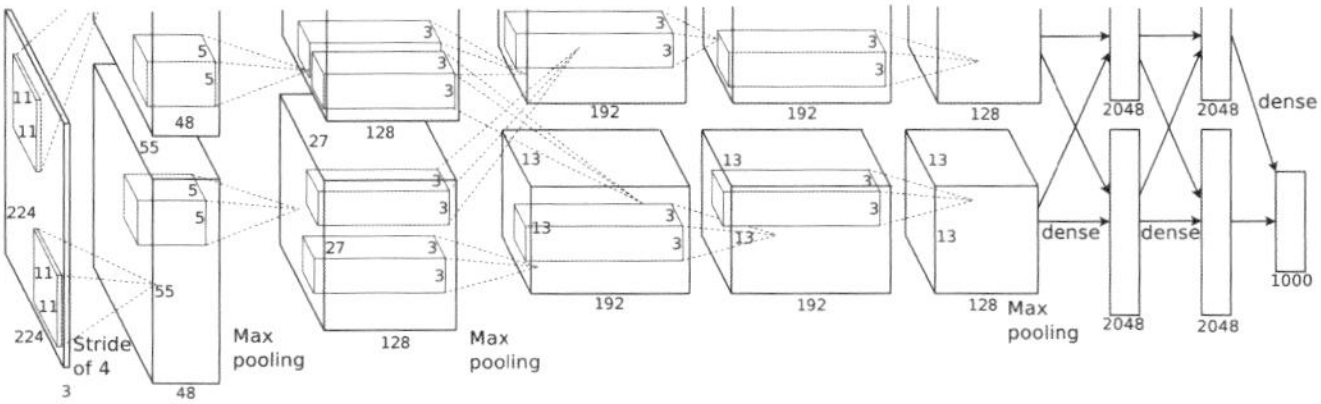

畳み込みニューラルネットワーク　出典：Krizhevsky, A., Sutskever, I., & Hinton, G. E. (2017). Imagenet classification with deep convolutional neural networks. *Communications of the ACM, 60* (6), 84-90.

自然言語処理など、さまざまな分野に応用されるようになりました。また、AlexNetの開発者であるヒントン教授をはじめとするディープラーニングの研究者たちは、その後もさまざまな画像認識のコンペティションで好成績を収め、ディープラーニングの発展に貢献し続けています。

実際には、ヒントン教授のAlexNetは、ディープラーニング研究の権威であるヤン・ルカンや福島邦彦が１９７０～80年代に発表していた畳み込みニューラルネットワークやネオコグニトロンといったアイデアを改善したものでした。しかし実際に多くの人々が「いよいよニューラルネットワークを見直さなければならない」と感じたのは、２０１２年のヒントン教授の論文だったと言われています。この頃からディープラーニングという言葉が生まれ、世界的なブームを作っていきました。

オートエンコーダ

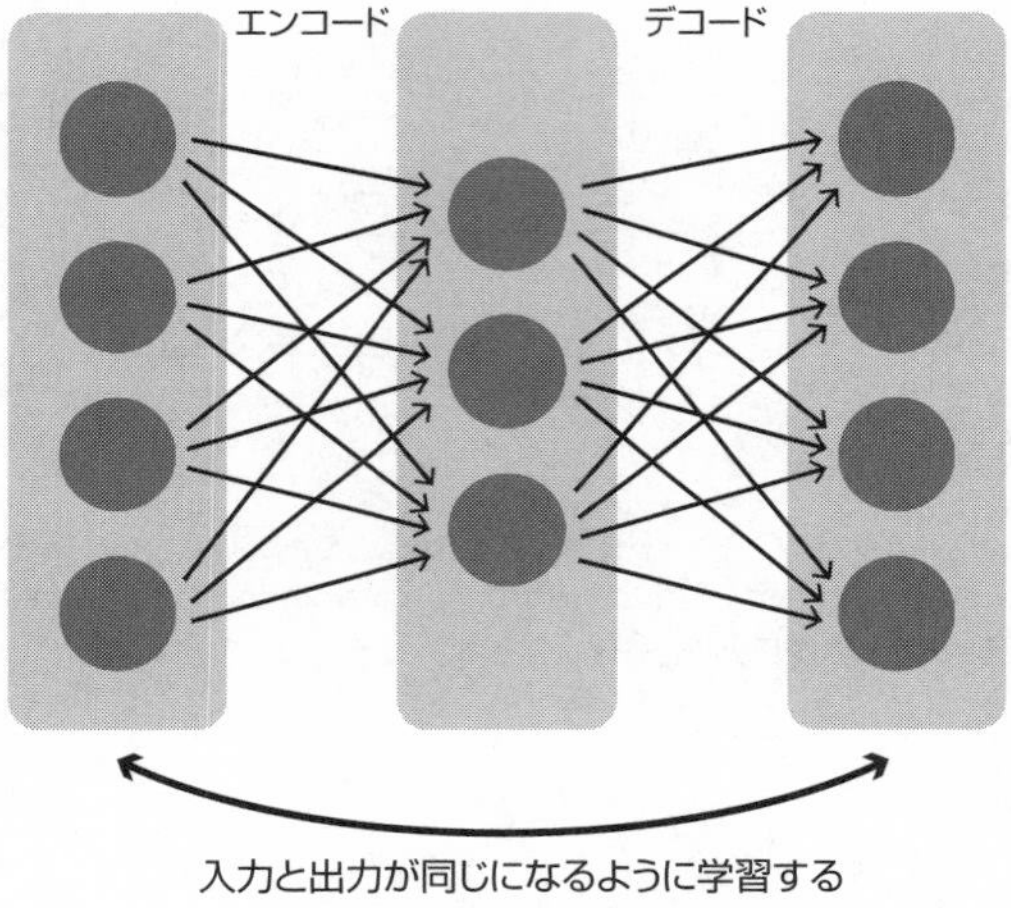

　このディープラーニングの歴史の途中で、いよいよ生成系ＡＩが登場します。

生成系AIはここから始まった

生成系ＡＩの直接の先祖と呼べるものは、１９８０年代に生まれたオートエンコーダです。

　オートエンコーダはニューラルネットワークの一種で、入力データを一度圧縮してから再び復元することで、データの特徴を把握することを目的とした手法です。

　まず、入力データに対して圧縮（エンコード）を行います。エンコードされたデータは、さらに再構築（デコード）することで、元のデータを再現します。これにより、データの特徴を学習することができ、この方法を用い

AIは学んだものを自動的に分類できる

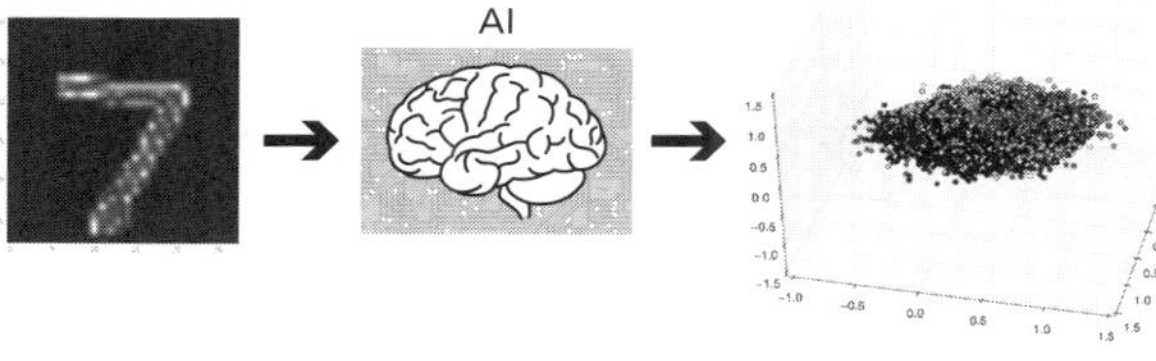

あらゆるデータの「特徴をつかむ」ことができる

てデータの圧縮、次元削減、データ生成、異常検出などのタスクを行うことができます。

　ただし、オートエンコーダには課題もありました。たとえばデータの表現力が不足している場合、オートエンコーダがデータの特徴を抽出できないことがあります。また、学習データに対して過度に依存してしまう過学習の問題が発生することもありました。

　それからだいぶ時間が経って２０１３年、オートエンコーダを改良したＶＡＥ（変分オートエンコーダ）という技術が生まれます。ＶＡＥはニューラルネットワークを使った生成モデルの一種で、入力データの確率分布を推定し、その分布から新しいデータを生成することができます。

　実は、画像生成ＡＩでもＶＡＥは使われています。画像生成ＡＩが生成する画像の「下書き」みたいなものを作ったあと、オートエンコーダで清書するようなイメージです。

　ＶＡＥの発明と同時期には、Googleの研究チームが、大量の未加工データを使用して自然言語の生成を行う深層学習モデル「word2vec」を開発しました。

言葉を「ベクトル化」するword2vec

word2vec は、単語をベクトル化して計算機上で扱いやすくする手法です。これにより、単語同士の関係性を表現することができます。たとえば、「王様−男＋女＝女王」というように、単語の意味を理解して計算できるのです。

　このあたり、大規模言語モデルを理解する上でも大切になってくるので、もう少し掘り下げて説明します。

　まず「ベクトル化」についてです。ＡＩ関係の用語は数学に由来しているものが少なくありません。しかし、私たちが中学校や高校で習うような数学とは少し違います。

「ベクトル」という言葉を聞いて、ほとんどの人が頭に思い浮かべるのは「矢印」ではないでしょうか？　「ベクトルは長さを持った矢印」なんて習うのではないかと思います。もしかしたら、ベクトルという言葉自体も習っていないかもしれません。

　でも心配ありません。ＡＩが扱うベクトルは、学校の数学で習うベクトルとはほとんど関係ないからです。

ベクトル=長さを持った矢印?

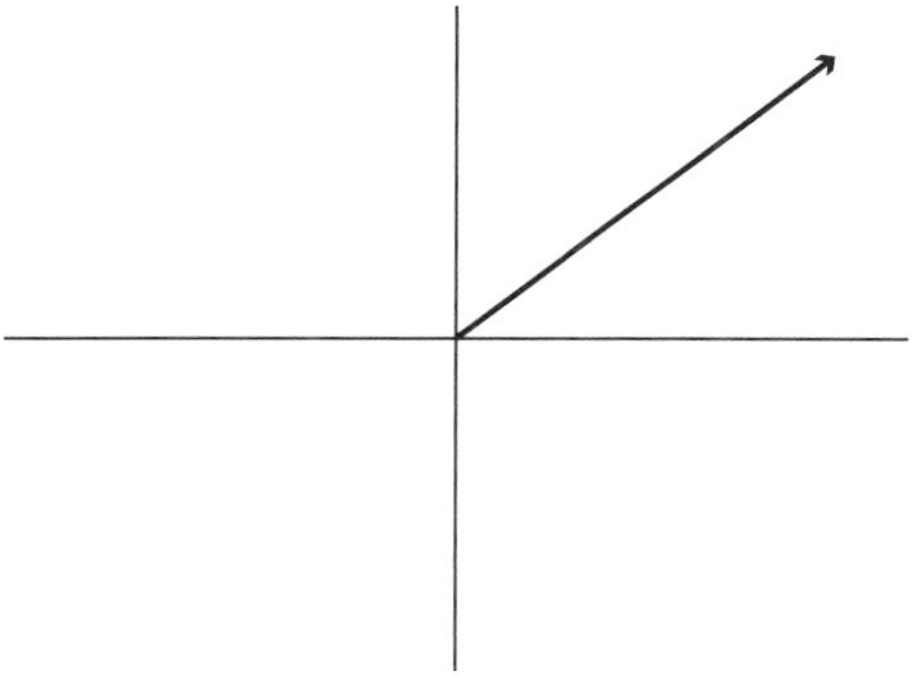

ここで、ＡＩを扱うときによく出てくる「ベクトル」について説明しておきましょう。

まず、単純な数を考えます。この数は、１でも４００でも０・０１でもなんでもありです。なんでもいいので、仮にａと呼ぶことにします。

このときａは、単に「大きさ」を意味する数と考えられます。「ａは１００より大きい」とか「小さい」とか、比較できますよね?

そこで、このａのような単独の数を「スカラー(scalar)」と呼びます。語源は17世紀のラテン語の「はしご」を意味するscalaと、「登る」を意味するscandereだそうです。

要は、私たちが普段使っている数字は、全てスカラーなのです。「数字」と呼ぶ代わりに「スカラー」と呼ぶことにしよう。そういうわけです。

次に、複数のスカラーをまとめて扱いたいときがあ

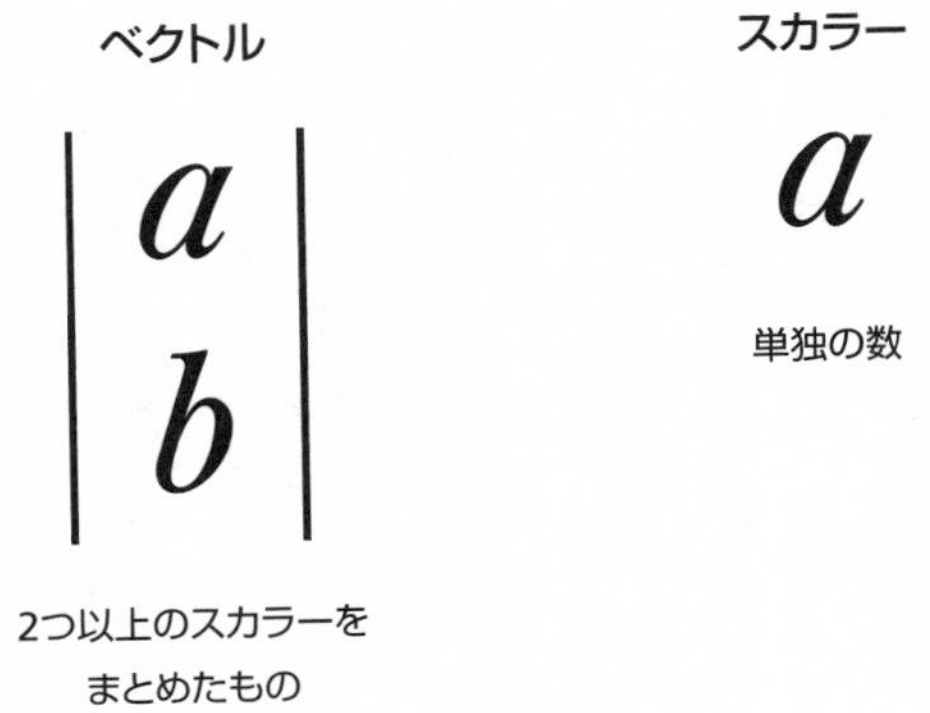

ります。映画館の座席は「F－14」のように、アルファベットで列を、数字で行を表しますよね？　列はA、B、C……と続いていくので、一種のスカラーと言えます。

数学では、2つ以上のスカラーをまとめたときに、それをベクトルと呼びます。

ベクトルは、2つのスカラーがあれば二次元の、3つのスカラーがあれば三次元のベクトルと言います。集まったスカラーの数が、そのベクトルの次元数です。

一緒に出てきた単語は近くに配置する

簡単に言うと、word2vecがやっていることは、たくさんの文章を学習させて、文章に出てくる単語を好きな次元数のベクトルに変換することです。変換する次元は二次元でも三次元でも問題ないのですが、普通は百次元以上のベクトルを使います。

「え、なんでそんなに大きな次元なの!?」と驚くかもしれません。筆者も最初に聞いたときは驚きました。簡単に言えば、次元が大きい方がより複雑な情報を扱えるからです。そりゃあ、それだけたくさんのスカラーがあるから当然ですよね。

もう少しイメージするために、まずはword2vec的な処理を二次元で考えてみましょう。こんな文章があるとします。

青い空の下で赤いりんごをむしゃむしゃ食べる彼女の赤い唇

これを二次元のword2vecに変換してみます。本来は英文でやるのですが、日本語でやるときは品詞ごとに分けてから（これを形態素解析といいます）処理します。たとえばこんな感じです。

青い　空　の　下　で　赤い　りんご　を　むしゃむしゃ　食べる　彼女　の　赤い　唇

単語の関係性を見たいので、「てにをは」つまり助詞は消してしまいましょう。

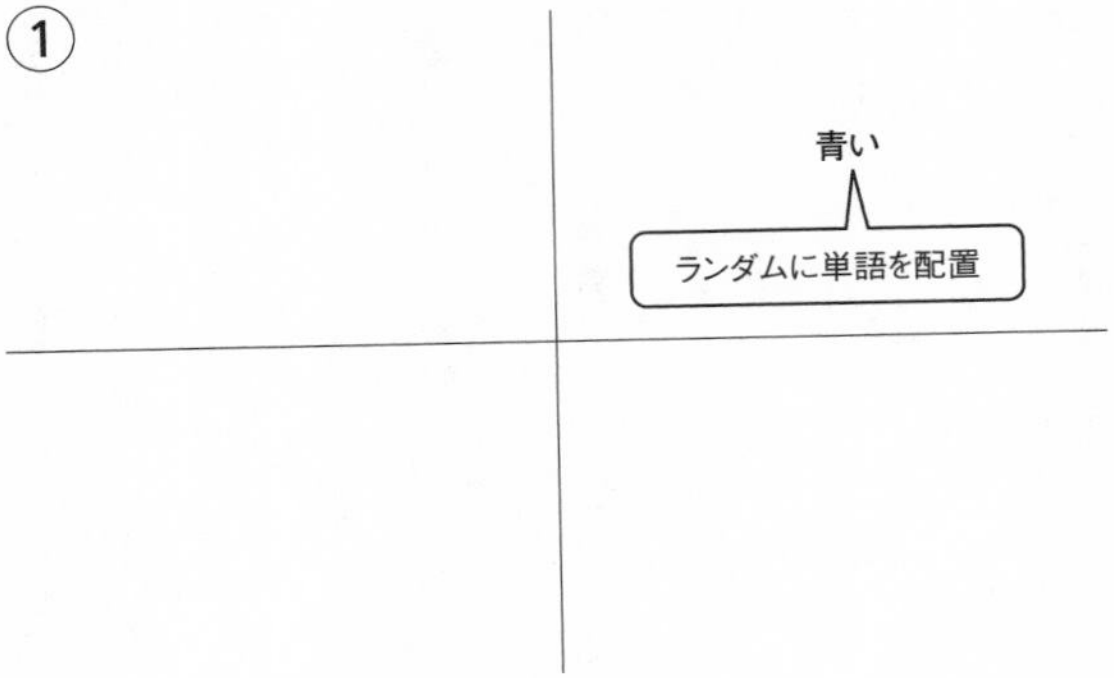

青い　空　下　赤い　りんご　むしゃむしゃ
食べる　彼女　赤い　唇

順番に処理していきましょう。最初の単語は「青い」です。word2vec に限らず、機械学習は初期状態は全てランダムから始まります。

適当に「青い」を平面に配置します。「青い」という単語に、（8、5）のような2つのスカラーを与えるとします（①）。スカラーが2つなので、これはベクトルです。つまり、これがベクトル化です。

次の単語は「空」です。単語の位置（ベクトル）は、さきほどの「青い」の近くになるようにします。「青い」の近くにランダムに「空」を配置します（②）。

さらに「下」「赤い」「りんご」と続いていきます。

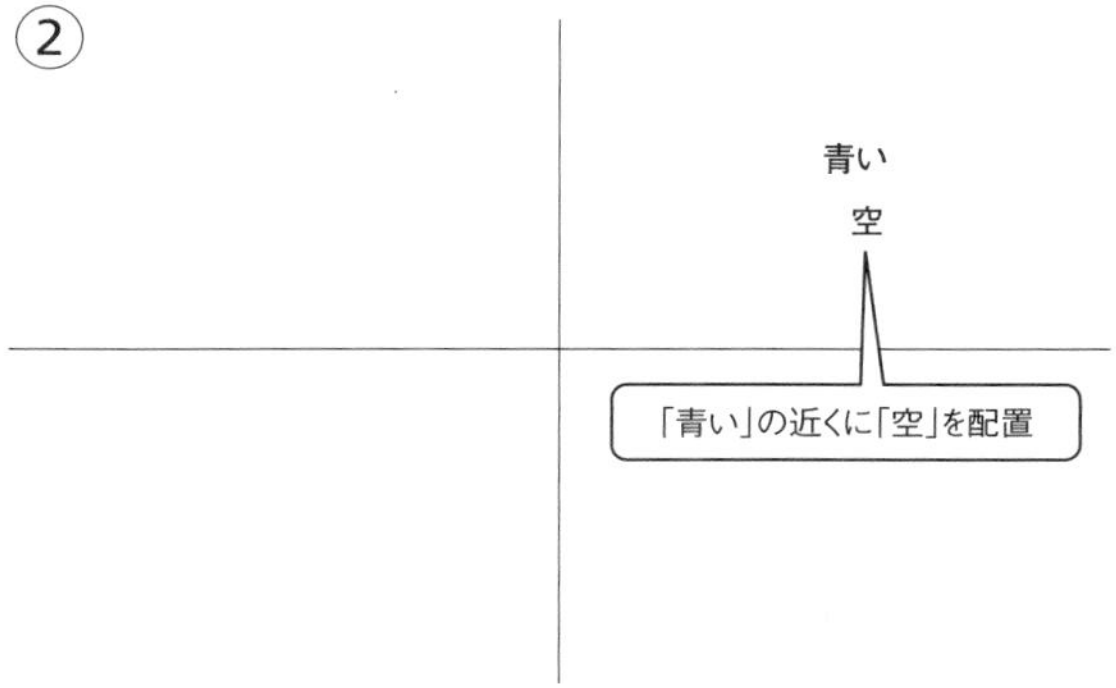
②
青い
空
「青い」の近くに「空」を配置

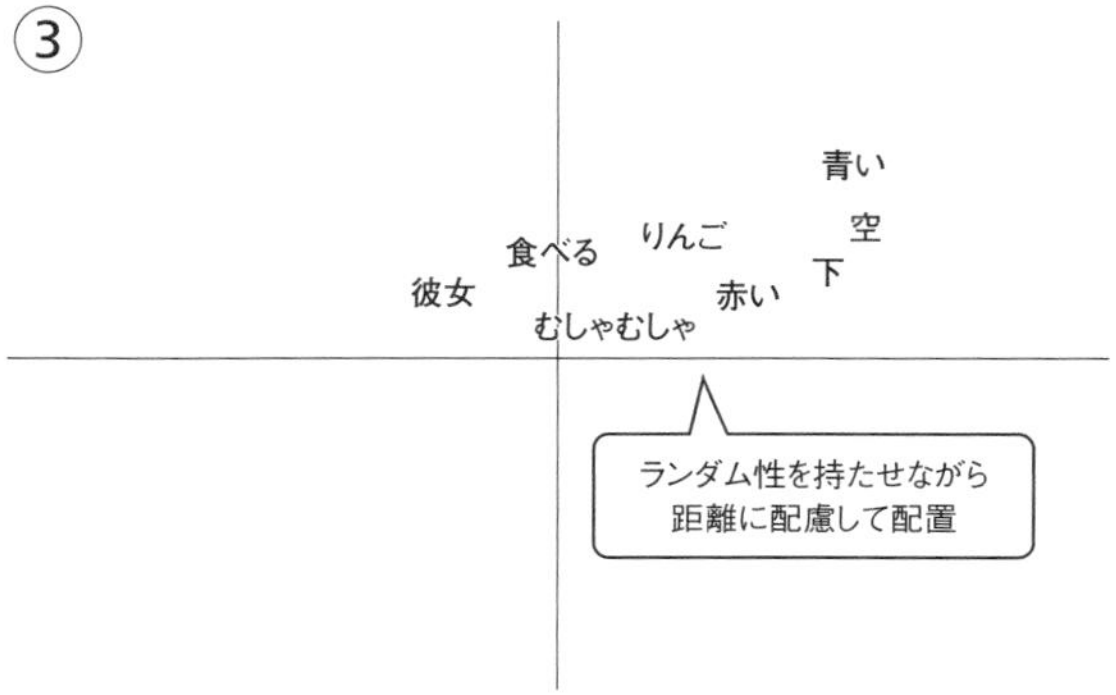
③
青い
空
食べる
りんご
下
彼女
赤い
むしゃむしゃ
ランダム性を持たせながら
距離に配慮して配置

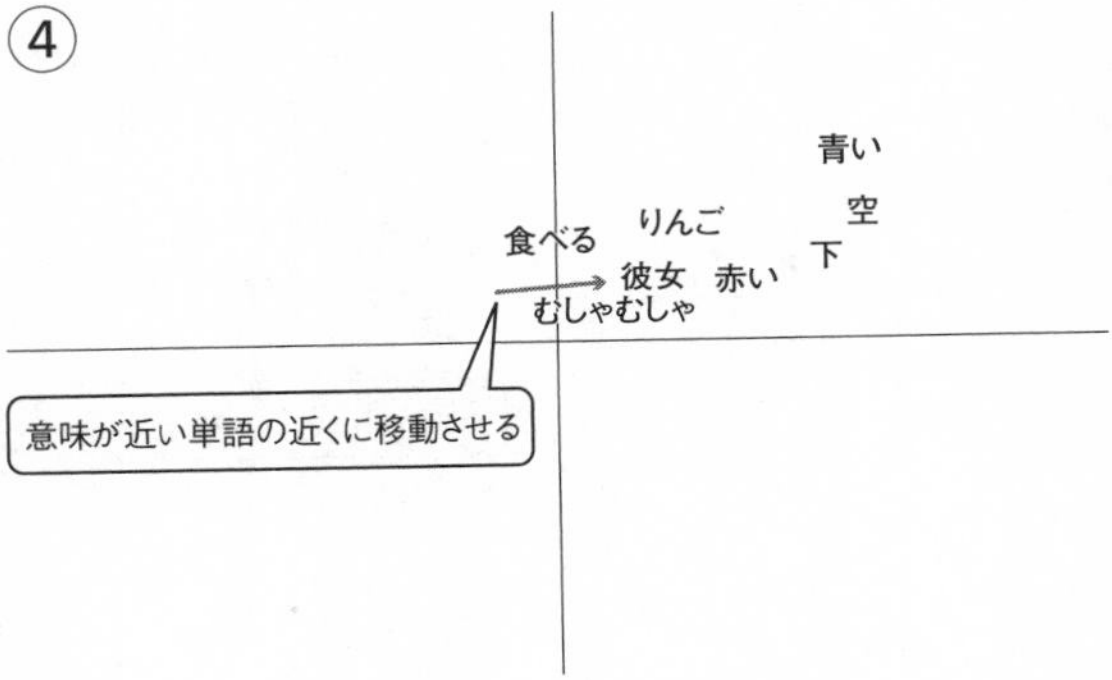

同じように「彼女」まで、「近くに出た単語はなんとなく近くに配置する」というルールでランダムに置いていきます（③）。

意味が近い単語を把握できるようになる

次の単語は「赤い」です。この「赤い」はさっきも出てきた単語です。「彼女」「赤い」と続くわけですが、「赤い」が遠くにあるので前提が崩れてしまいます。

そこで、「彼女」と「赤い」をもっと近づける必要があります。「彼女」の位置を「りんご」と同じくらいに近づけるように再配置してみましょう（④）。

次の単語は「唇」です。これも「赤い」の近くに配置します（⑤）。

こんな感じで、新しい単語が出てきたら「とりあえず近くにランダムに配置」して、前に見た単語が出てきたら「単語を近くに移動させる」という操作を繰り

⑤

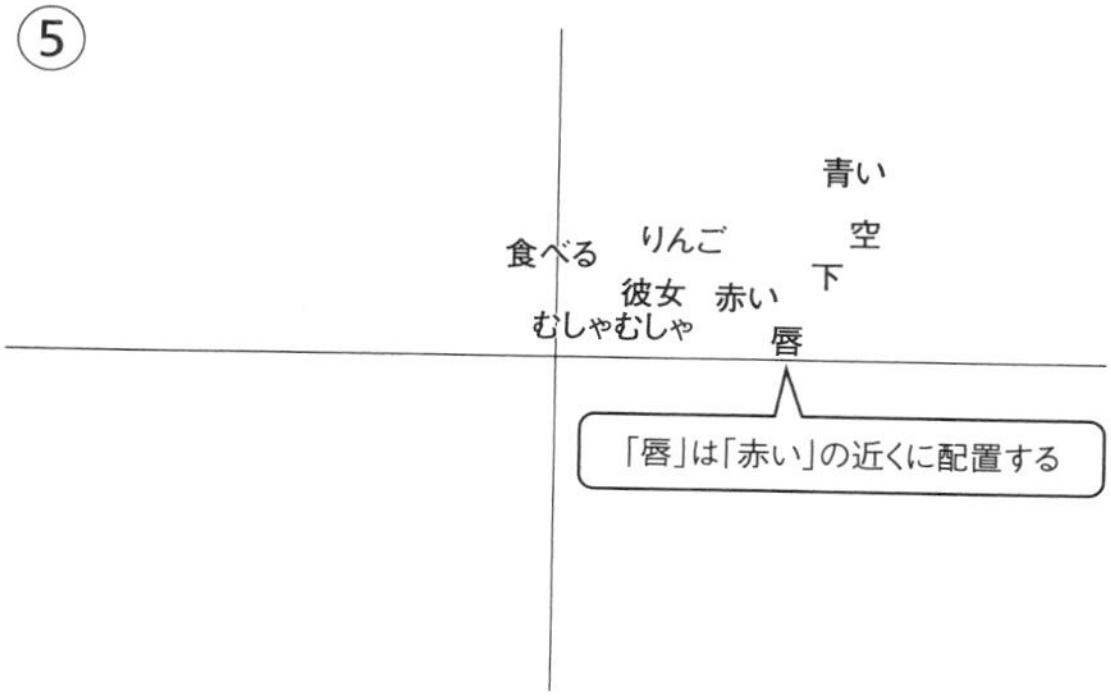

返していきます。

こうすると、「りんご」と「唇」は「赤い」とほぼ等距離になりました。「りんご」と「唇」はどちらも「赤い」というわけです。

こうした操作を数十万という文章、単語に対して行うと、自然と「赤いもの」は「赤い」の近くに集まりそうだな、ということがイメージできると思います。これが「単語のベクトル化」と「学習」です。

最初にランダムに配置した時点でもベクトル化はされているのですが、そのベクトルはあまり単語の意味を反映しているとは言えません。しかし、大量に単語と単語の距離を正しく直していくと、だんだんと「意味の近い単語は近くに集まる」といった形で学習できるようになります。

word2vec はこれと似た「意味の近そうな単語をうまく配置する」ことをもっと上手に、高速に行います。

⑥

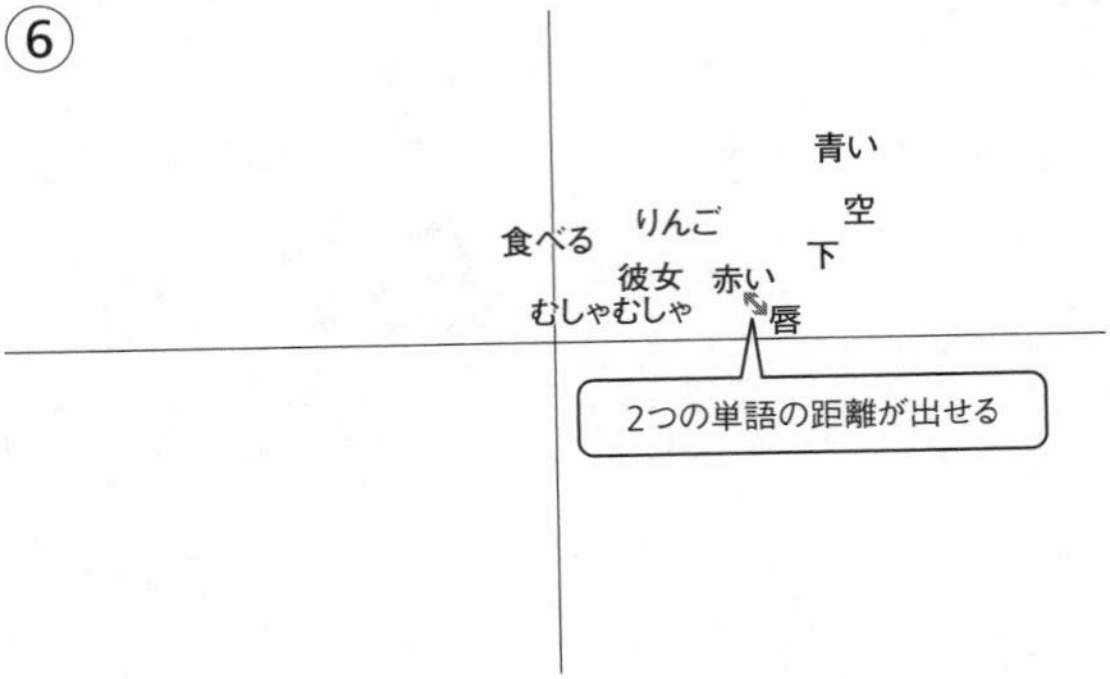

こうした単語の処理を無数に行うと考えると、二次元の平面ではとても足りなくなりそうだ、というイメージがつかめたでしょうか。実際には単語は数万から数十万に膨らみます。それをどれもこれも二次元の平面で把握しようとすると大変なので、百次元くらいの大きなベクトルを使うのです。

しかし、そもそもどうして単語をベクトルにしたいのでしょうか？

実は、ベクトルにするといろいろと便利なことがあるのです。

まず、普通の記号処理では、「赤い」と「青い」がどちらも「色を意味する形容詞」だということは教えてあげない限りわかりません。しかしword2vecでは、おそらく「赤信号、青信号」「赤い錠剤か、青い錠剤か」のように、赤と青は対に使われることが多いので、それが「色」であるかどうかはともかくとして、「似

⑦

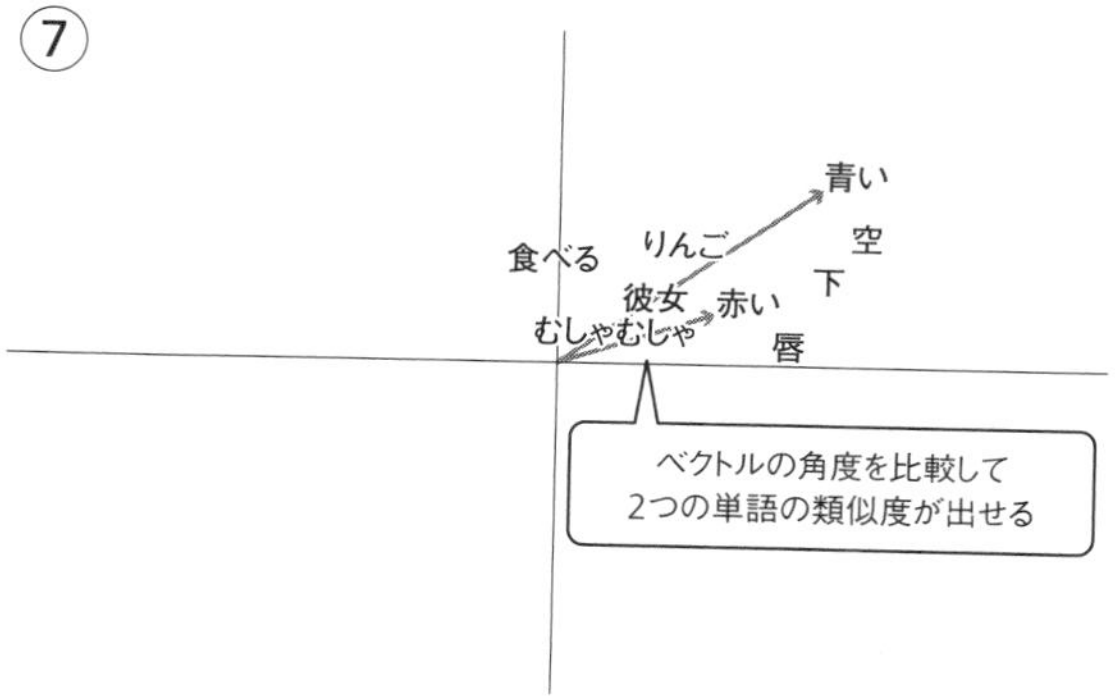

たような概念を意味する言葉」だということがベクトル化することで類推できます。

ベクトル化すると、単語は平面や空間に置かれた単なる点になるので、「距離」を測ることができるようになります（⑥）。

これにより、２つの単語が「どのくらい意味として似ているか」を数値で把握できるのです。

もう一つのやりかたとして、ベクトルは矢印のようにもとらえられるので、２つのベクトルの角度でも類似度を測ることができます（⑦）。

こうしたベクトル化の性質によって、機械は初めて、人間しか使えなかった言葉の意味をなんとなく把握できるようになったのです。

ＧＰＴのような大規模言語モデルでも、word2vecと考え方は同じです。

全ての単語はベクトル化され、高速に処理されます。

ベクトルを高速に処理するのに特化した部品が、何度か出てきているＧＰＵ（グラフィックス処理ユニット）というわけです。

４つの学習方法

一般的にＡＩ学習方法は、教師あり学習、教師なし学習、半教師あり学習、強化学習の４つに分類されます。

①教師あり学習……事前にラベル付け（そのデータが何を意味するか、人間がデータにラベルをつけて説明すること）されたデータを使用して、機械学習モデルをトレーニングする方法。品質の高いデータが必要で、多くの手動作業を必要とするため、よく使用されるが、多くのコストと時間がかかる

②教師なし学習……ラベルのないデータからパターンを抽出し、データを分類する方法。大量のデータを自動的に処理することができ、教師あり学習よりもコストが低い

③半教師あり学習……教師あり学習と教師なし学習の両方の特徴を併せ持った学習方法。ラベル付きのデータを使用してトレーニングを行い、その後ラベルのないデータを分類するためのモデルを作成する。教師データ（ラベル付けされたデータ）が十分でなくても分類

できる

④強化学習……エージェント（AIによって動く仮想的なロボット）が、報酬を最大化するために環境と相互作用しながら学習する手法。自然言語処理においては、対話システムなどのタスクで使われる

2010年代以前の自然言語処理では、テキストデータから意味や情報を抽出するために、主に構文解析と形態素解析が使われていました。

たとえば、「これはペンです」という文を形態素解析すると、以下のような単語の並びに分解されます。

これ（代名詞）
は（助詞）
ペン（名詞）
です（助動詞）

翻訳の際には、入力文を単語に分割し、各単語に対して翻訳を行い、最終的に翻訳文を生成

します。つまり、「これはペンです」という文を英語に翻訳する場合、「これ」をthis、「は」を省略し、「ペン」をpen、「です」をisに翻訳することになります。

形態素解析を用いた機械翻訳は大規模なコーパスを用いるため、翻訳モデルの構築や更新には膨大な時間とリソースが必要で、少量のコーパスでは翻訳品質が低下することがある点が課題です。

また、形態素解析を用いた翻訳は「ルールベース生成」といって、文法や意味のルールをもとに文章を生成する方式のため柔軟性が低く、新しい単語や表現に対応するためにはルールの追加や変更が必要になる場合があります。

ディープラーニングによる自動翻訳は機械翻訳の手法の一つで、ニューラル機械翻訳と呼ばれます。ディープラーニングを用いることで、より高度な表現力や柔軟性が実現され、従来の機械翻訳よりも高い精度が得られるようになりました。

ディープラーニングによる自動翻訳は、単語単位ではなく、パラグラフ（段落）単位で翻訳を行います。また、機械翻訳と異なり、文法や構文などの言語知識を人手でプログラムする必要がありません。そのため、複雑な言語表現や長文の翻訳にも対応できます。

AI同士が敵対しながら成長する

敵対的生成ネットワーク(GAN)の学習

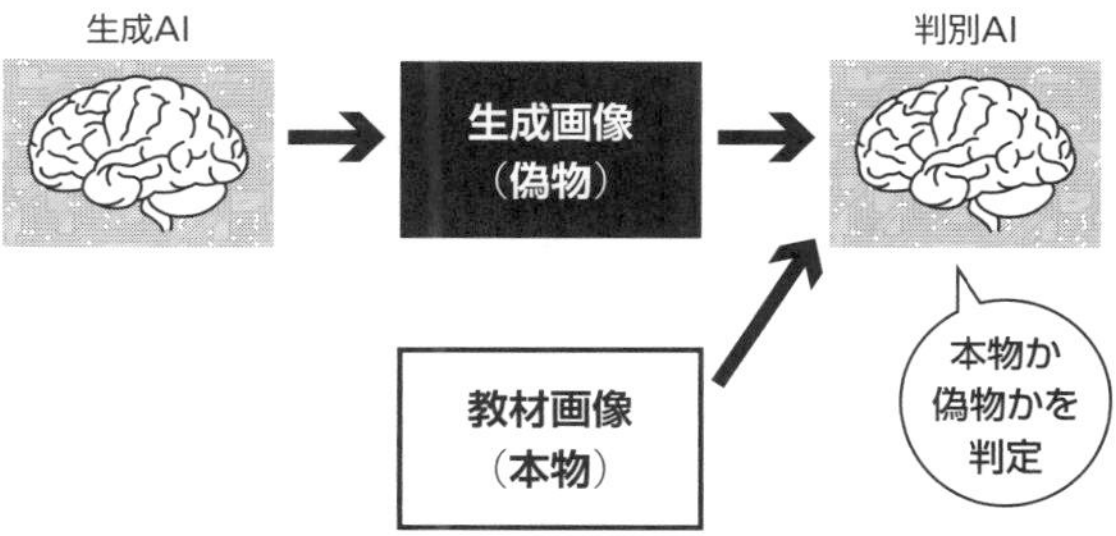

教材をもとに擬似画像を生成して騙そうとするAIと、
本物の画像か擬似画像かを判別するAIを戦わせて学習する

２０１４年には、敵対的生成ネットワーク、通称ＧＡＮ《ガン》(Generative Adversarial Network)の論文が発表されます。ディープラーニングを用いた生成モデルの一つであるＧＡＮは、生成ＡＩと判別ＡＩの２つのネットワークを対抗的に学習させることで、高品質なデータを生成することができます。

ＧＡＮの学習は、生成ＡＩが入力された乱数からデータを生成し、それを見た判別ＡＩが本物か偽物かを判定することで行われます。

このとき、判別ＡＩは本物と偽物を見分けるように学習し、生成ＡＩはより本物に近いデータを生成できるように学習します。２つのＡＩが互いに敵対し、戦いの中で違いを磨き上げながら成長していくというわけです。

ＧＡＮは、画像や音声などの複雑なデータの生成に利用されることが多く、最近では音声合成や

pix2pix　ペア画像生成

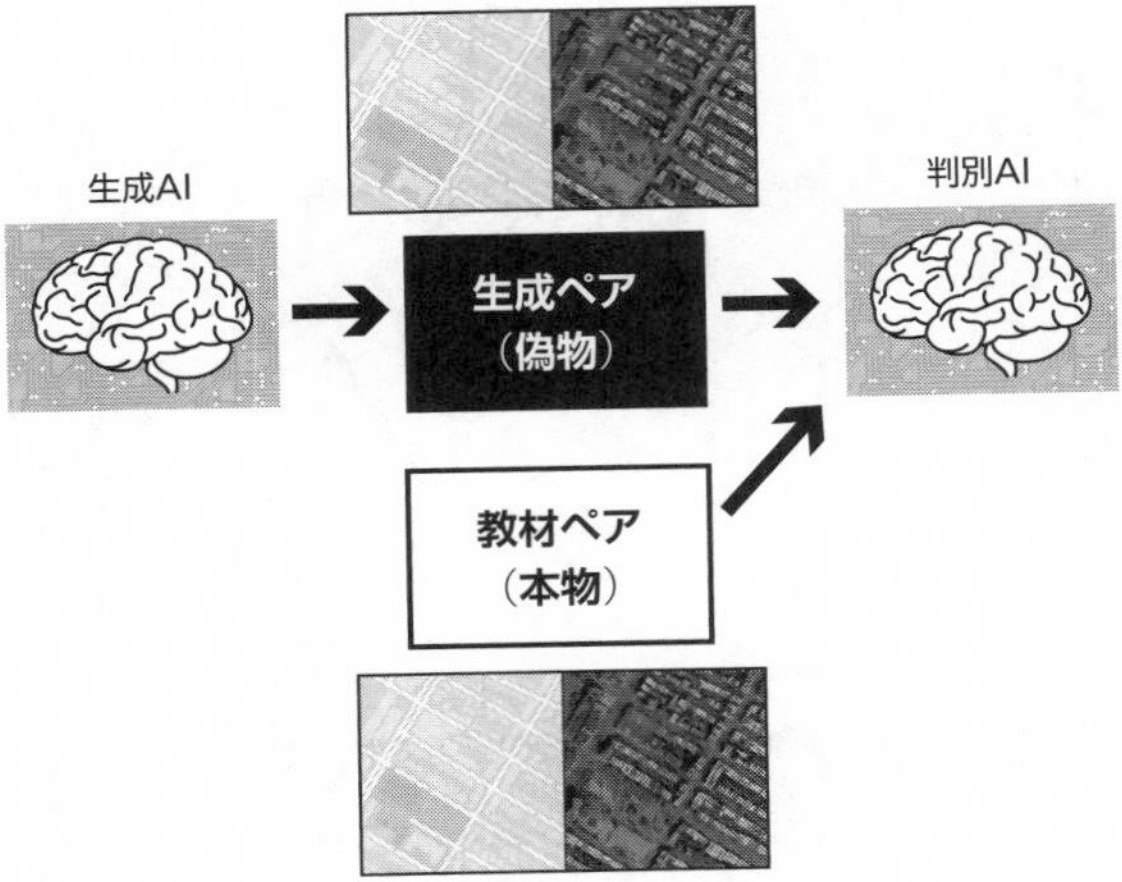

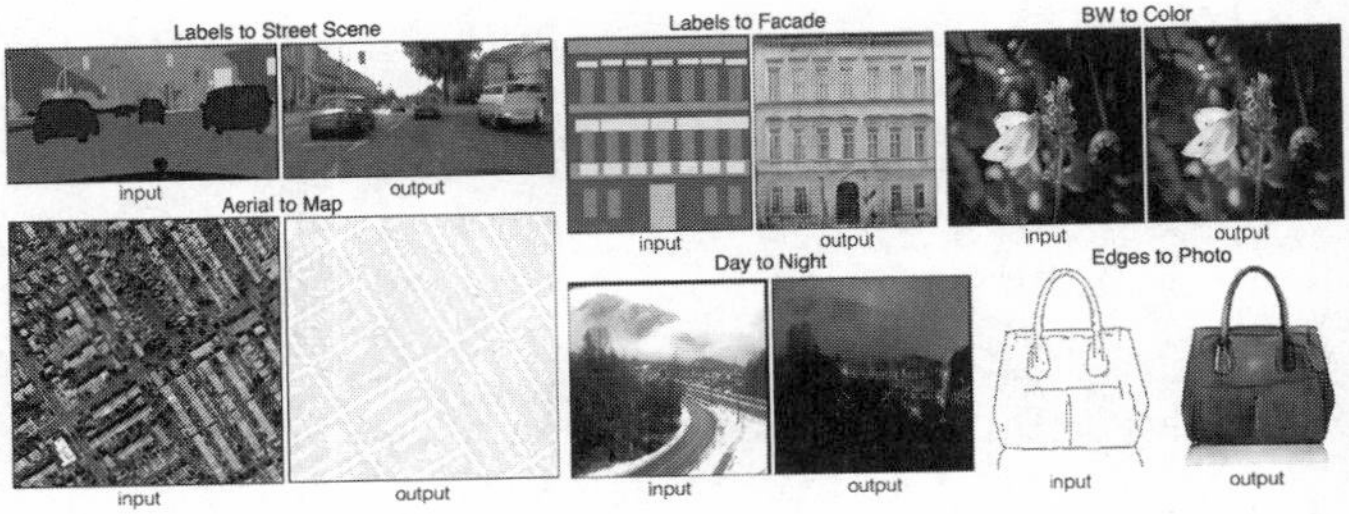

「白黒→カラー」「航空写真→地図」「昼→夜」「線画→リアルな画像」と自在に変換できる
出典：Isola, P., Zhu, J. Y., Zhou, T., & Efros, A. A. (2017). Image-to-image translation with conditional adversarial networks. In *Proceedings of the IEEE conference on computer vision and pattern recognition* (pp. 1125-1134).

画像生成などの応用分野で高い成果を上げています。

ＧＡＮのバリエーションも数多く生まれました。

その一つ、pix2pixは特筆すべきものと言えます。

pix2pixは、２つの画像間の関係性を学習するための画像変換モデルです。具体的には、画像Ａと画像Ｂを与えると、モデルは画像Ａを画像Ｂに変換する方法を学習します。

この技術はさまざまなアプリケーションに使用されていて、たとえば線画からリアルな画像を生成したり、白黒画像をカラーに変換したりするものがあります。

ＧＡＮの研究成果が、最初のＡＩによる画像生成の成果につながっていきます。

自然言語処理が全てを飲み込む

ＧＡＮが注目されてからは、しばらくずっとＧＡＮに関係する研究が続けられました。ＡＩの世界では、ある技術が注目を集めると、そこに群がるように大勢の研究者がその応用を研究するという、一種の「流行」のようなものがあります。

２０２０年頃まで、ディープラーニングにおける画像の研究と言語の研究は、２つの全く違う流れの中にありました。画像の研究では、２０１２年のAlexNetを機に畳み込みニューラルネットワークがまず流行しましたし、ＧＡＮの中でも話題になった、より鮮明な画像が生成できるＤＣＧＡＮ（Deep Convolutional GAN）やpix2pixも、畳み込みニューラルネットワークで作られています。

それに比べると、自然言語をニューラルネットワークで処理しようという試みはまだ発展段階にありました。回帰型ニューラルネットワーク（ＲＮＮ）と呼ばれる、過去の情報を利用して性能を向上させようという時系列を考慮したニューラルネットワークは、ＧＰＵの恩恵をあまり受けることができず、たしかに興味深い結果は生まれるもののインパクトに欠ける、といったことが続いたのです。

そんななか、２０１７年にGoogleが発表したTransformer（変換器）というアーキテクチャは、その中では頭一つ飛び抜けた成果でした。

まず画期的だったのは、それまで並列計算に向いていなかったことで停滞していたＲＮＮをやめ、並列計算ができるようにしたことです。シンプルな設計にしたことで並列化が可能になり、これが大規模言語モデルの開発につながります。最初は翻訳に使われて驚異的な性能が出たということで、次々にTransformerの応用が研究されることになりました。

２０１８年、GoogleはさらにTransformerの応用としてＢＥＲＴ《バート》というモデルを開発します。ＢＥＲＴは前後の文脈を考慮したモデルです。事前に十分な訓練さえしておけば、あとからさまざまなタスクに転用可能で、なおかつ従来のどの手法よりも高性能というところで大きく注目を集めました。

それまでの自然言語のニューラルネットワーク学習は、文章を頭からお尻へ向かって一方向に読んで学習していました。ＢＥＲＴはそうではなく、文章の一部分を隠して、そこに本来はどんな単語が入るべきか当てる、という学習法を使いました。幼稚園児がするような、遊びと勉強の中間のような覚え方です。

たとえば、

This is an ＿＿＿. It is tasty and sweet.

のような文章の＿＿＿の部分を当てるのです。

ここにはappleやorangeが入ります。こうやって確率的に「どんな単語が入るか」を学習させていくことで、ＡＩが文脈を飛躍的に理解できるようになりました。

現在は、プログラミングに使うVisual Studio CodeというツールにCopilotという機能を追加することで、プログラムを書く前にコメント（「これからこういうプログラムを書きます」というもの）を書くと、自動的にその先のプログラムが提案されるようになっています。タイピングの数を減らせるので、プログラミングの効率は非常に高くなりました。

近年の研究では、大規模言語モデルと強化学習を組み合わせて、本来は四足歩行しかできないロボットの報酬系を大規模言語モデルに設計させて二足歩行化させたり、文字だけではなく画像や音声、動画といった性質（モード）の異なるデータを組み合わせるマルチモーダル技術が進歩してきています。たとえば、一枚の画像を見せてそこから物語を考えさせたり、音声だけを聞かせてそれを画像にしたり、動画にしたりといったことが手軽にできるようになってきました。これから先はますます、これを使いこなす人間の想像力が問われることになります。

また、ChatGPTによるプログラミングと実行環境をローカル（手元のＰＣ）で実行できるようにしたOpen Interpreter《オープン・インタープリター》という技術は、これまで難しかったような自動化（ＲＰＡ）が自然言語で手軽にできるようになり、たとえば「今見ているブラウザのスクリーンショットをとって文字認識して要約して読み上げて」と指示を与えると自動的に実行するなど、必要なプログラムのインストールからプログラムの作成まで一気にできるようになりました。

これまでＰＣ操作が苦手でやりたいことがうまく表現できなかった人も、「ハードディスクから特定の文字列を含むファイル名の動画を探して連番の画像ファイルに変換して」などと指示するだけで、検索するよりも早く欲しい結果を得ることができます。まだ使う側に多少の工夫は必要になりますが、新しいことを覚える手間が激減するのは間違いありません。

第4章　コンテンツを創造するAI

——Stable Diffusionから映画制作の現場まで

最初期のGANによる画像生成。筆者による実験結果

画像を「文章」としてとらえる

生成系ＡＩは、ディープラーニングによって画像生成の分野でも進歩を遂げています。事前に大量の訓練画像を使用して、その画像の特徴を学習し、その特徴をもとに新しい画像を生成します。

画像を生成するＡＩは、ＧＡＮの登場と同時期に生まれました。最初は手書き数字やごくシンプルな画像を生成するのが精一杯でした。

それがＧＰＵの高性能化・大容量化にともなって、写真のようにリアルな画像を生成できるようになったのです。

しかし、ＧＡＮには特有のいろいろな弱点があります。たとえば、顔ならば顔、動物ならば動物というように、ジャンルを固定しないとうまく学習できないのです。

StyleGANで生成された人物の画像。筆者による実験

BigGANによる生成結果　出典：Brock, A., Donahue, J., & Simonyan, K. (2018). Large scale GAN training for high fidelity natural image synthesis. *arXiv preprint arXiv:1809.11096.*

もっと巨大なモデルを使うことでこれを解決したのが、BigGANと呼ばれるAIです。BigGANが開発されたことで、生成系AIは新たな局面を迎えました。

さらに、それまで自然言語処理にしか使われていなかったTransformerを画像に応用した、Image GPTです。Image GPTは、画像を一種の「文章」としてとらえて処理します。左上から右下へ向かって、どんなパーツがあるかという「画像の言葉」を作るのです。

Transformerが得意とする

のは、あるシークエンスから別のシークエンスへの変換（seq2seq）ですから、画像をシークエンスとしてとらえて、上半分の画像を学習させ、下半分の画像をＡＩに想像させるというのが Image GPT です。

「距離が測れる」ものは学習可能である

さらに Image GPT の約半年後、２０２１年の1月に OpenAI は DALL·E とＣＬＩＰという2つのＡＩを発表します。DALL·E は言葉から画像を生成するＡＩで、ＣＬＩＰは DALL·E のいわば副産物的に生まれたＡＩでした。

ちなみに DALL·E の語源は画家のサルバドール・ダリ（Dali）とディズニー＆ピクサー映画の『ウォーリー』（WALL·E）の合成語なので、「ダーリー」と伸ばすのが正しい読み方だと思います。

言葉から画像を生成する試みは DALL·E 以前から何度も行われてきました。しかし、DALL·E ほどの規模と美しさで生成できることはなく、人々に大きなインパクトを与えました。

DALL·E は言葉を与えると、Image GPT に似た仕組みで画像を生成するＡＩです。一方、ＣＬＩＰは、DALL·E から一要素だけを抜き出したようなＡＩで、画像と文章をベクトル化し、相関性を比較するために利用されます。ＣＬＩＰは最初に普及した、画像と文章のどちらにも

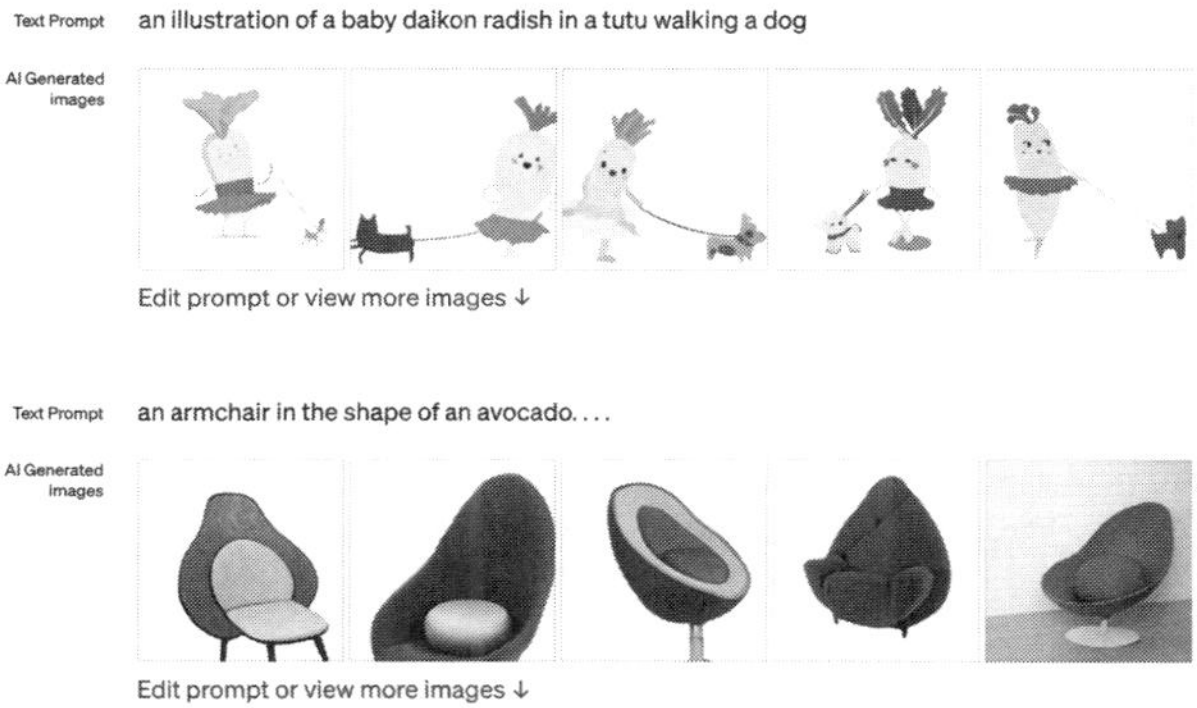

DALL·Eのデモンストレーション　出典：https://openai.com/research/dall-e

対応したマルチモーダルのＡＩです。

ＣＬＩＰを使うと、文章と画像を同じ特徴空間で扱うことができるようになります。こうすることで、画像検索などをより柔軟に行えるようになりました。

word2vecのところ（Ｐ１２８〜）で、「ベクトル化すると距離が測れる」と説明しましたが、ＣＬＩＰを使うと、言葉と言葉同士の距離や、画像と画像同士の距離だけでなく、言葉と画像の距離も測ることができます。

ＡＩにとって、「距離を測ることができる」というのはとても重要です。距離が測れるということは、学習可能であることを意味するからです。

従来はＡＩに猫の写真を見せて「これは犬だ」と判定しても、「間違ってるね」だけで終わってしまいました。しかし、何がどのくらい間違っているかという「距離」がわかれば、「こんなふうに変化させたら近づ

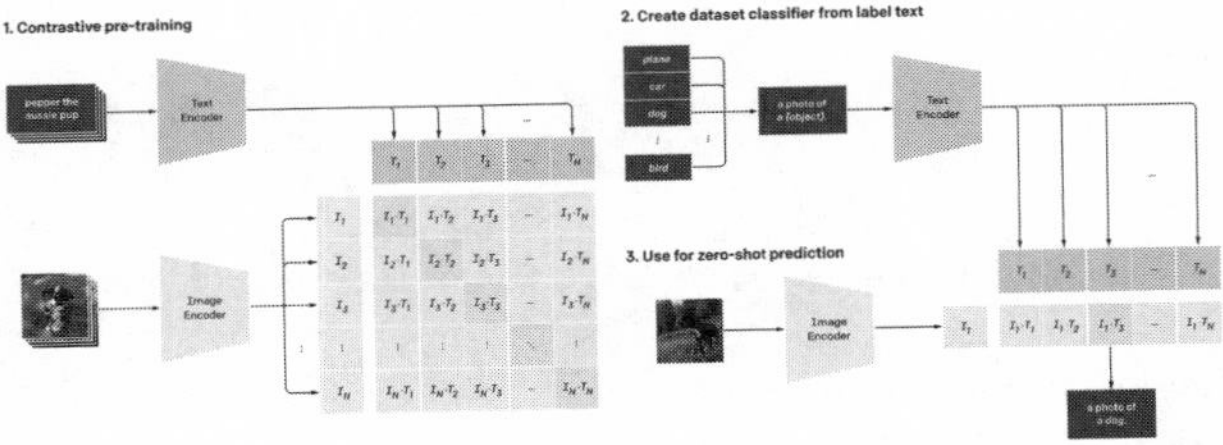

OpenAIによるCLIPの説明図　出典：https://openai.com/research/clip

くだろうか」「それともこっちの方が近いだろうか」という試行錯誤ができます。専門用語でこれを「探索」または「最適化」と呼びます。

たとえばBigGANは、ランダムなベクトルを与えると1枚の絵を描きます。その絵が実際に何に見えるかは、それまでは人間が判断するしかありませんでした。

ところが、ＣＬＩＰを間に挟むことで「こんな絵が見たい」というキーフレーズと比較して距離を測り、「ベクトルをもっとこっちに動かせば猫っぽくなるよ」と教えてあげることができます。

こうして、絵を描くＡＩができあがるのです。

Big SleepとDiffusionモデル

左ページの図で、Ｚはランダムなベクトルです。ＣＬＩＰが生成された画像と与えられたキーフレーズを比較して距離を求め、Ｚをどのように修正すべきかアドバイスを送り、微調整します。これを繰り返すと欲しい絵柄にたどり着くというわけです。

言葉から絵を描くAI

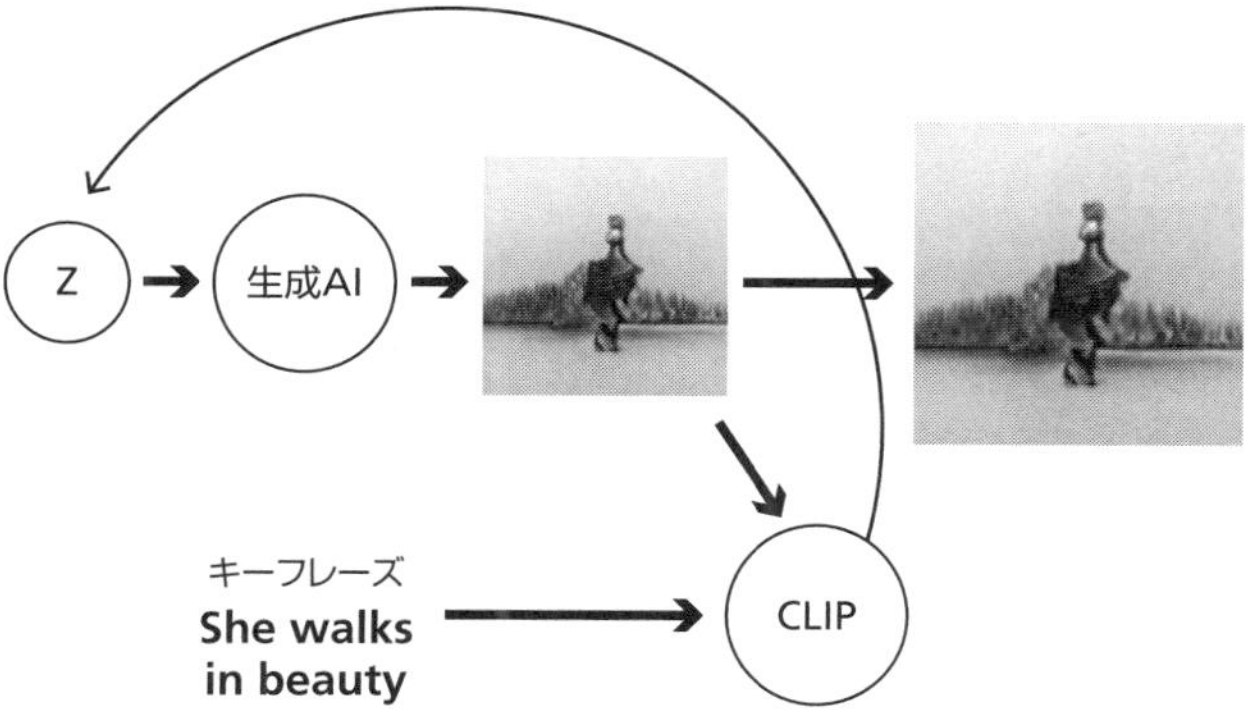

生成された画像をキーフレーズのイメージに寄せていく

　これはBig Sleepというプログラムで、登場したときは非常に印象的でした。

　ただし、Big Sleepには絵を描くのに数分かかるという欠点がありました。とはいえ、かなり速い人間でも数分でここまでの絵を描くのは不可能です。また、具象画というよりも抽象画になりがちであるという特徴もありました。

　DALL·Eが一般公開されなかったことへの反発から、ネット上の一部の有志が集まって50億枚もの巨大な画像とテキストのマルチモーダルデータセットを作ろうというLAION《ライオン》プロジェクトが立ち上がったのもこの頃です。

　それから1年ほどして、GoogleはDiffusion（拡散）モデルという、Transformerに代わる画像生成手法を発見しました。Diffusionモデルを使うことで、はるかに高速に、はるかに少

Big Sleepが描いた「我々はどこから来たのか、我々は何者か、我々はどこへ行くのか」

ない計算量で画像を生成することができます。

Midjourney が生まれたのはこの頃で、これもおそらくDiffusionモデルを使っています。そして２０２２年８月、Stability AI によって、Stable Diffusion がオープンソースで公開されたのです。

こうして、第一次生成系ＡＩブームとでも言うべきものが生まれました。

最初は10ＧＢくらいのサイズだった画像生成ＡＩも、さまざまな人の手が入り、４分の１くらいのサイズでも十分綺麗な画像が出せるということから、広く受け入れ

DreamFusion　出典：Poole, B., Jain, A., Barron, J. T., & Mildenhall, B. (2022). Dreamfusion: Text-to-3d using 2d diffusion. *arXiv preprint arXiv:2209.14988.*

られていきました。

映画制作やゲーム開発の現場で活用され始めた

Stable Diffusion の登場からまだわずかですが、すでにゲーム開発や映画制作の現場では、3DCG製作ソフトBlender用のテクスチャ画像生成AIのプラグインや、ユーザーインターフェースデザインツールFigma用のプラグインなどが登場し、活用され始めています。

実際に、ゲームに登場する3Dオブジェクトを作るモデリングのような分野に関しても生成系AI

の研究が進んでいて、最終的には現実世界を撮影した画像からゲーム内の世界に取り込んでしまう、デジタルツインのような使い方も考えられます。Google Research とカリフォルニア大学バークレー校が発表したDreamFusion は、言葉から３Ｄモデルを生成するシステムです。

さらには、３Ｄモデルを言葉によって直接コントロールするような使い方も出てきました。Instruct-NeRF2NeRF は、言葉によって３Ｄ画像を制御する仕組みです。

「ピエロにして」と言えばピエロになり、「ハゲにして」と言えばハゲになります。

こうした三次元画像は、従来のようなやりかたでモデリングされたわけではなく、さまざまな角度から撮影した写真をＡＩが学習し、生成したものです。

生成系ＡＩは、現在のコンピュータグラフィックス技術の進歩にも影響を与えています。映画やゲームで使用されるリアルな３Ｄグラフィックスにも、生成系ＡＩが使用されるようになりました。前述のように、テクスチャなど基本的にあまりこだわらなくていいものは、生成系ＡＩによるもので十分になってきています。

今後、キャラクターデザインや背景そのもののデザインなどにも、生成系ＡＩはどんどん入り込んでいくでしょう。

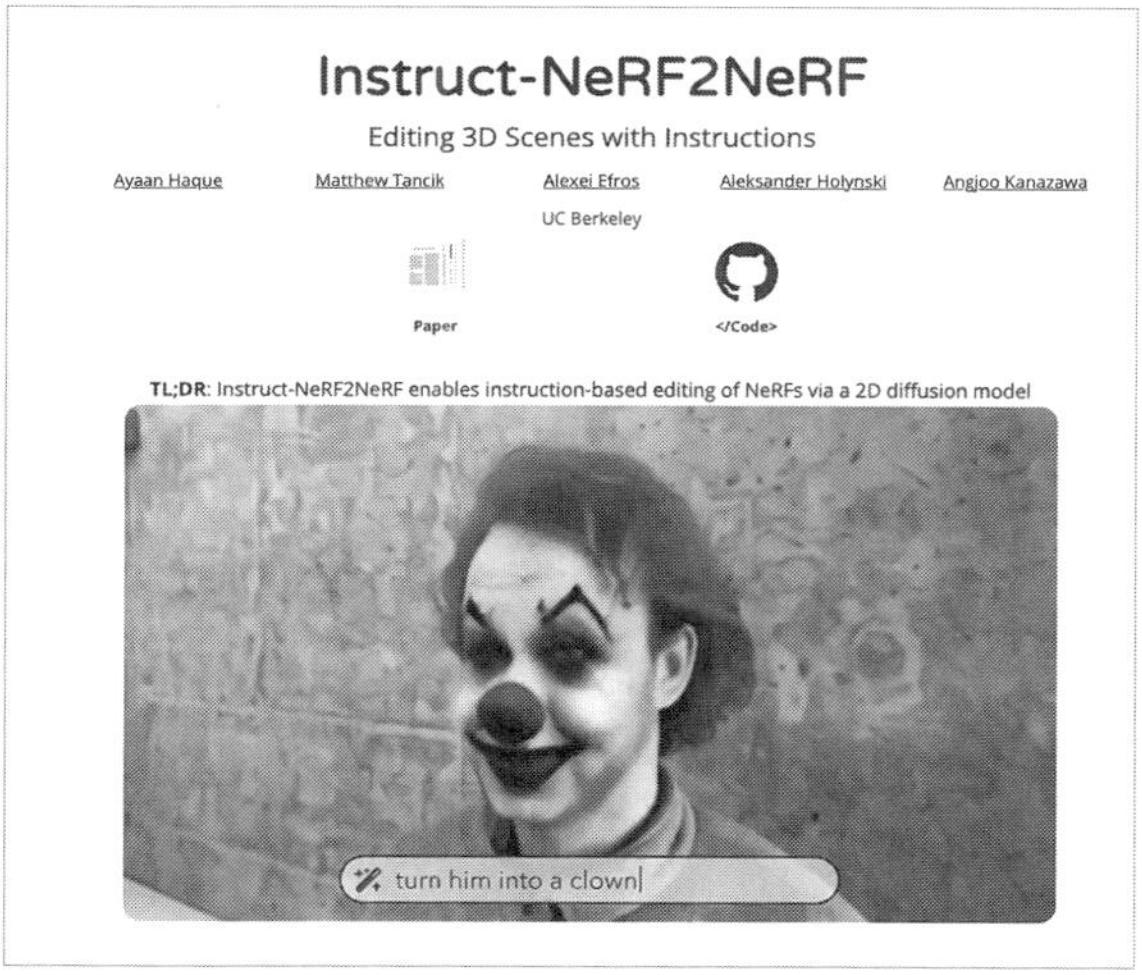

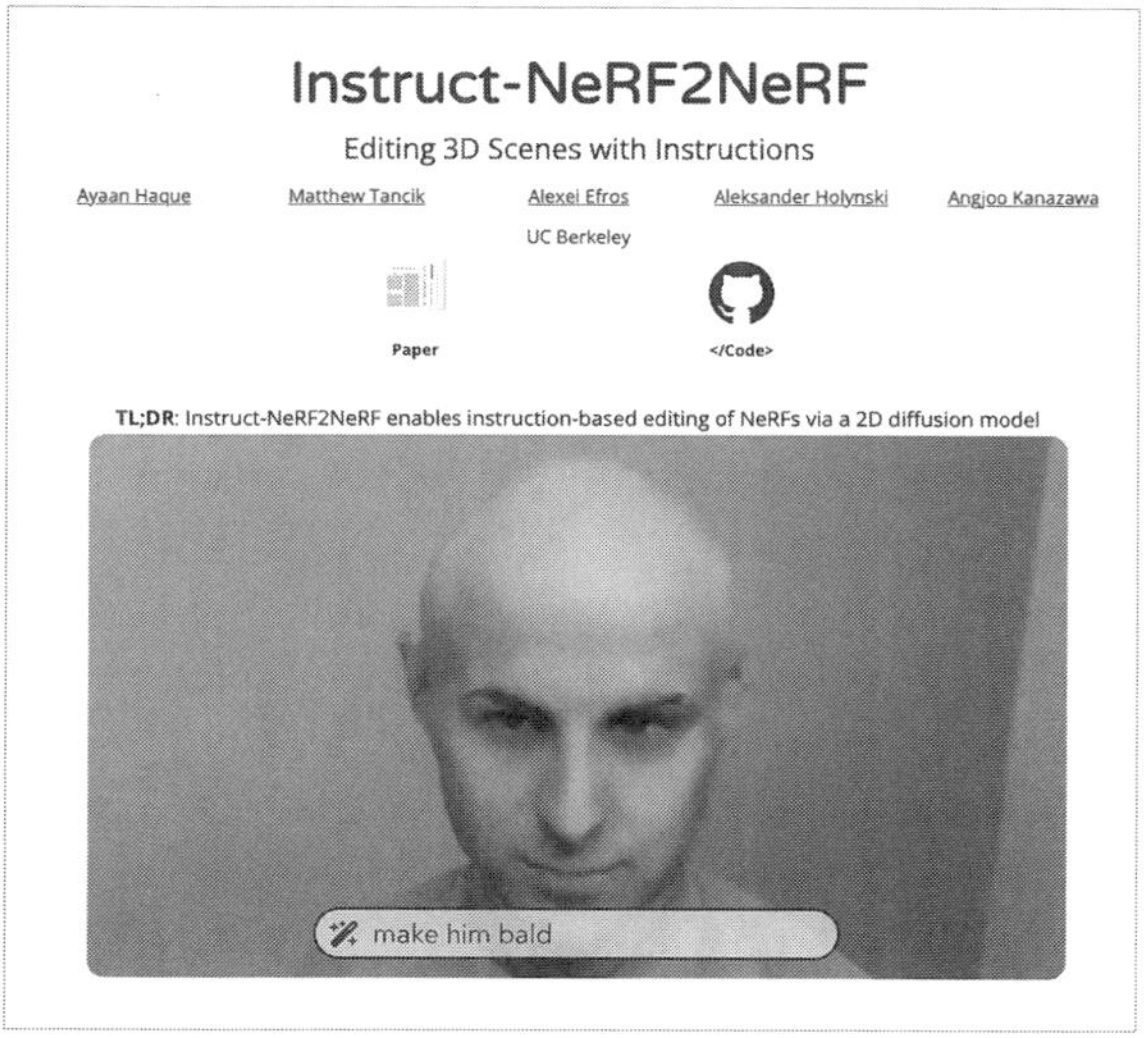

Instruct-NeRF2NeRF　出典：https://instruct-nerf2nerf.github.io/

テキストから動画も生成できる

生成系ＡＩは、自然言語処理、画像処理、音声処理の技術を駆使して、動画も生成することができます。映像業界はもちろん、教育、マーケティング、エンターテインメント、医療、自動運転、セキュリティなど、さまざまな分野で利用されるようになってきています。

動画生成の手法は、大きく分けて２つあります。

①条件付き生成モデル……ある条件下での動画を生成する。ある人物がどのような動きをすればいいか、ある風景の時刻や天気、季節、カメラの位置などの情報を与えることで、特定のシーンやストーリーに合わせた動画を生成できる

②自己回帰型生成モデル……一つのフレームを生成したあと、そのフレームを次のフレームの入力として使用することで、複数のフレームからなる動画を生成する。さまざまな種類の動画を生成できるが、生成された動画には一定の不自然さが残る場合がある

現在知られている動画モデルには、Stable Diffusion を用いて擬似的に動画を作ることができる Deforum や、動画データをもとにファインチューニングして動画生成をする Tune-A-Video などがあります。

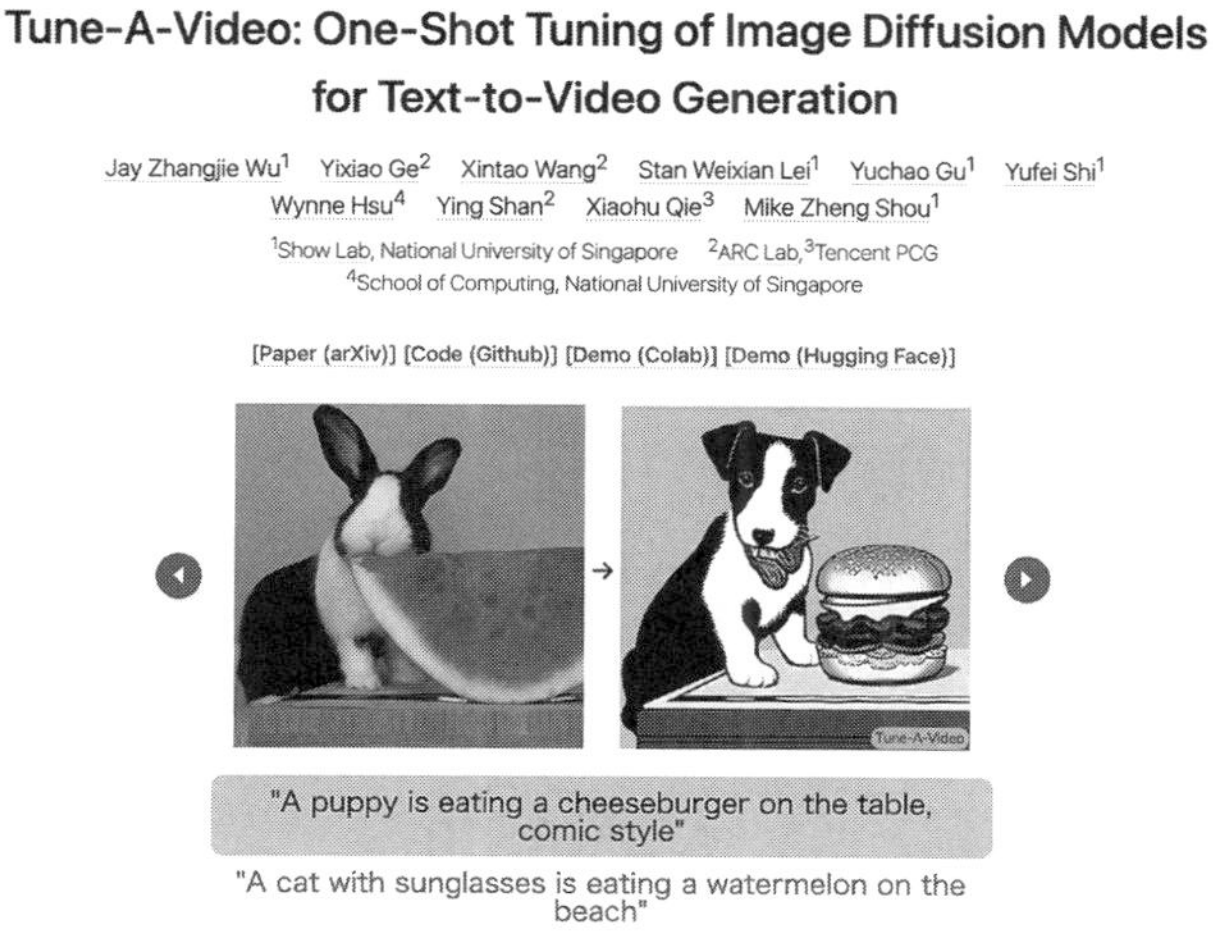

Tune-A-Video　出典：https://tuneavideo.github.io/

modelscope　出典：https://modelscope.cn/models/damo/text-to-video-synthesis/summary

２０２３年３月には、中国のAlibabaが「VideoFusion: Decomposed Diffusion Models for High-Quality Video Generation（高品質ビデオ生成のための分解拡散モデル）」という論文を発表しました。

Diffusers v0.15.0では、さらに強力な「Text-to-Video」の機能が追加され、「サーフィンするダース・ベイダー」などといったテキストから動画を生成することができるようになりました。

動画制作に欠かせない「効果音」の生成

音響エフェクトによる効果音は、映画やテレビ、ゲームなどの臨場感や没入感を高めるために欠かせない重要な要素です。

生成系ＡＩを利用することで、音響信号を解析し、機械学習アルゴリズムを使って、新しい音響エフェクトを自動生成します。

前述のDiffusers v0.15.0では、音声生成の機能も追加されています。AudioLDMという機能を使うと、「ハンマーで鉄板を叩く音」や「街中で叫ぶ男の声」などのテキストから効果音を生成できます。

テレビや映画で使われる効果音は、実際の音とは違います。それっぽく聞こえるように全く別の音を組み合わせて効果音としているので、作るのが非常に難しいのです。

今はあらかじめ専門の業者が作った効果音を買ってきて使うのが普通になっていますが、実際に映像制作の現場では、「この効果音じゃないんだよなあ」ということで頭を悩ませることが少なくありません。

ＡＩによる効果音生成には一定以上の需要と可能性があるでしょう。やはりYouTubeなどで個人が動画編集するのが当たり前になった時代だと、いい効果音がなくて困ることが少なくないからです。イメージ通りの効果音を、しかもイメージに合わせて微調整して使えるとなると、喜ぶYouTuberは増えるのではないでしょうか。

また、音響処理においてＡＩはすでに大きな成果を残しています。最近のビデオ編集ソフトでは、ＡＩによって人間の声以外の音を消してしまう高度なノイズキャンセラーが搭載されるのが当たり前になってきました。実際にこれで驚くほど雑音が消えます。

今後はただ雑音を消すだけでなく、よりリアルな音響や、より迫力のある音響を作り出すような、表現力を増強するためにＡＩが活用されていくでしょう。

すでにここまでに出てきた技術とその延長線上にあるのは、一人で映画制作ができるという時代です。そのための準備は全て整ってしまいました。あとは作るだけです。一体これからどんな作品が作られていくのでしょうか。非常に楽しみです。

メディアアートとの融合

従来の芸術制作プロセスにおいて人間が担っていた役割の一部を生成系ＡＩで自動化することで、新しい芸術表現の可能性を広げる新しいジャンルのアートが注目を集めています。アートの世界でいち早く生成系ＡＩに着目したのは、メディアアートという分野の人々でした。メディアアートは最先端の科学技術を使い、新しい芸術表現を積極的に求めていく活動です。日本の有名なメディアアーティストとしては、チームラボ代表の猪子寿之さん、ＡＲ三兄弟の川田十夢さん、落合陽一さんなどがいます。

メディアアートの世界的祭典であるアルス・エレクトロニカでは、数年前からＡＩを活用したアート作品が活発に発表されるようになりました。初期の生成系ＡＩアートの代表的な手法としてはＧＡＮを使ったものが多かったのですが、Stable Diffusion の登場以降は、気軽にＡＩでイラストや漫画を描いたりする人たちが現れました。

２０２３年の1月には、筆者も末席の事務局として参加した第一回ＡＩアートグランプリが開催され、予想以上に力作が集まり、大いに盛り上がりました。

初代グランプリに輝いたのは松尾公也さん。10年前に他界した奥様の思い出を題材にしたミュージックビデオでした。

松尾さんご夫婦は、奥様が18歳のときにバンド活動で出会い、バンド内恋愛の末結婚した音楽夫婦でした。奥様が余命宣告されたあと、「どうか自分の歌声を忘れないでほしい。たとえ自分の体がなくなったとしても、あなたとずっと歌い続けていたい」という遺言を受け、それから10年間にわたってそのときそのときの最新の技術で奥様の歌声を再現しようと、１００曲以上も作り続けてきたそうです。

しかし数年前、生前に撮影した全ての画像を使い果たしてしまい、もう新しいミュージックビデオは作れないと失望していたところにStable Diffusionが現れました。松尾さんは奥様の姿をStable Diffusionに学習させることで、再び創作活動の情熱に火が灯ったのだそうです。さらに、本人そっくりの声色をリアルタイムに再現するボイスチェンジャー、ＲＶＣ（Retrieval-based-Voice-Conversion）という手法により、松尾さんの歌を奥様のリアルな歌声に変換することも可能になりました。

最終的には遺言の通り、松尾さん自身の声と姿もＡＩ化し、自身の死後は「必ず二人ペアで使うこと」というライセンス条件をつけてデータを配布したいそうです。

結局のところ、道具がＡＩに変わろうと、人間というのは何も変わらないのだと考えさせられました。アートが人間の営みである以上、道具がＡＩになったからといってその本質が変わるわけではないのです。

ChatGPTでテーブルトークRPGを遊ぶ

前述のように、生成系ＡＩによるゲーム内の素材の自動生成はすでに行われています。

２０２３年3月、ゲーム開発大手のUbisoftは、「Ghostwriter《ゴーストライター》」なるソフトを発表しました。これは、ゲーム内にいるＮＰＣ（ノン・プレイヤー・キャラクター）のセリフを自動生成するツールです。そのＮＰＣの立場、置かれている状況、持っている知識などを指定すると、自動的にセリフを生成するというものです。

こうしたことに限らず、ゲーム分野はＡＩが入り込む余地が一番大きいと考えられます。セリフや背景、キャラクターの生成以外にも、シナリオの自動生成などにも使われています。

たとえばChatGPTでテーブルトークＲＰＧを遊びたい場合は、こんなプロンプトを使えばいいでしょう。

プロンプト：
あなたはゲームマスターをやってください。舞台は現代の東京で、主人公である私は、大学生です。主人公を絶望的な状況に叩き落とし、それを解決するために物語を語り、適切なところで選択肢または行動を入力するためのプロンプトを示してください。では始めてください

ChatGPT:

ようこそ、冒険者よ。このゲームの舞台は現代の東京です。あなたは大学生で、普通の一日を過ごしていましたが、突然、何かが起こりました。

あなたは、大学での試験前日に、友人から招待されたパーティーに行くために街中を歩いていました。しかし、帰り道で、何者かに襲われ、意識を失ってしまいました。

目を覚ますと、あなたは見知らぬ場所にいました。あなたの体は縛り付けられ、周りには何もない闇が広がっています。あなたは、自分がどうやってここに来たのか、何が起こっているのかを知らないまま、混乱しています。

このまま放っておいたら、あなたは絶望的な状況に陥ってしまうでしょう。しかし、あなたにはあなた自身の知恵と勇気があります。あなたは、この謎を解き、この状況から脱出することができます。

まず、あなたは周りを探索して、自分がどこにいるのか、脱出するために何が必要かを見つけましょう。あなたが何かに気付いたら、以下のプロンプトを使用して、選択肢または行動を選んでください。

1. 周りを探索して、脱出するための手がかりを見つける。
2. 周りを探索するのをやめて、声を出して周りに助けを求める。
3. 縛られた状態から脱出するために、自分の身体を動かしてみる。

1

あなたは周りを探索することに決めました。周りを見回すと、あなたは縛られた状態であることを確認しました。縄があなたの手首と足首を縛っているようです。

しかし、地面に何かが落ちていることに気づきます。近づいてみると、それは小さなナイフでした。あなたは、自分が何者かに襲われた後、誘拐されたことを推測します。

ナイフを手に取り、周りを探索し始めます。しばらく探していると、暗闇の中で薄い光が見えます。近づいてみると、壁に小さな穴があり、外の光がそこから差し込んでいます。

あなたは穴を通じて外の様子を確認することにしました。外は、古い倉庫のような場所に見えます。出口があるように見えますが、どうやって脱出するかわかりません。

以下のプロンプトから、次にどの行動を選びますか？

1. 縄を解くために、ナイフを使用する。

2. 穴を通じて声を出して、助けを求める。
3. 出口を見つけるために、探索を続ける。

1

あなたはナイフを使って縄を解くことに決めました。ナイフを使って縄を切り、自由になることができました。あなたは、穴から出て、周りを探索することにしました。

倉庫の中には、ゴミや捨てられた家具が散らばっています。あなたは、出口を探すために、倉庫内を探索し始めました。

探索の途中で、あなたは壁に貼られたポスターを見つけました。ポスターには、謎めいた言葉が書かれています。「正しい扉を見つけて、そこから脱出することができる。しかし、誤った扉を選ぶと、永遠に閉じ込められることになる。」

あなたは、ポスターが示す謎を解くことに決めました。倉庫の中には、扉が数多くあります。どの扉が正しいのか、あなたはわかりません。しかし、正しい扉を見つけるために、あなたは以下のプロンプトから、どのような行動を選択しますか?

1. 扉を一つずつ開けて、中を確認する。

2. ポスターの謎を解くために、考えてみる。
3. 倉庫の中を探索して、ヒントを探す。

2

あなたはポスターの謎を解くために、考えることにしました。ポスターには、「正しい扉を見つけて、そこから脱出することができる。しかし、誤った扉を選ぶと、永遠に閉じ込められることになる。」と書かれていました。

この謎を解くために、あなたは自分自身に問いかけます。「どのような条件が、正しい扉を示すのか？」

考えを巡らせていると、あなたは答えにたどり着きました。正しい扉を選ぶ条件は、その扉が開けることができる扉であることです。誤った扉を選ぶ条件は、その扉が開けることができない扉であることです。

あなたは、ポスターに書かれた謎を解くことができました。正しい扉を選ぶことができるように、あなたは以下のプロンプトから、どのような行動を選択しますか？

1. 扉を一つずつ開けて、中を確認する。

2. 前方にある扉を開ける。
3. 右側にある扉を開ける。

1

あなたは扉を一つずつ開けて、中を確認することにしました。扉を開けるたびに、中を確認しますが、中には何もありません。時間が経つにつれ、あなたはイライラし始めます。しかし、最後の扉を開けたとき、あなたは正しい扉を見つけることができました。扉を開けると、外の明るい光が目に入り、自由の身になることができました。

あなたは倉庫から脱出することができました。あなたは、友人に連絡を取り、警察に通報することにしました。警察による調査の結果、あなたが誘拐された理由はわかりませんでしたが、あなたは無事に救出されました。

おめでとうございます！　あなたは絶望的な状況から脱出することができました。この冒険があなたにとって貴重な経験となります。

ゲームとしてはかなりお粗末でしたが、これをもう少しちゃんとすれば、もっと遊べるゲームを作るためのなんらかのヒントにはなりそうです。

作曲するAI、劇伴としての可能性

生成系ＡＩは、楽曲の作曲から演奏までのプロセスを人間の音楽家に代わって行うことができます。

生成系ＡＩによる音楽生成は、大きく2つに分けられます。一つは既存の楽曲の分析を通じて人間の音楽家の作曲手法を学習し、その音楽パターンを使用して新しい楽曲を作曲する方法、もう一つはＡＩが自己相似性や音楽理論に基づいて、自己の音楽を生成する方法です。

これにより、音楽制作のコストを抑えることもできるでしょう。ＡＩによる音楽生成はコンピュータ上で完結するため、スタジオに音楽家を招く必要がなくなります。

また、新しい音楽のジャンルやスタイルの開発にも貢献するかもしれません。既存のジャンルやスタイルにとらわれず、新しい音楽の表現方法を探求できるのです。

しかし、ＡＩが完全に人間の音楽家に代わることはできません。ＡＩは人間の音楽家が持つ感性や表現力を完全に再現することはできないからです。また、ＡＩが生成する音楽には、ある程度の予測性や規則性があります。これは人間の音楽家が持つ独自性や創造性とは異なります。

実際問題として、筆者はＡＩによる音楽生成には否定的です。たしかにＡＩは面白い音楽やそれっぽい音楽を生成してくれるのですが、音楽というのは根本的に人間が生命として表現するものなので、言葉のように単に音を整合性をとりながら並べても、真に創作的なものにはなりにくいのです。

もちろん、本当にどうでもいいものであれば、いくらでも作ることができます。しかし、音楽は作曲家や演奏者が伝えたい言語化不能なメッセージを伝えるものなので、機械生成には不向きなのではないかと考えています。

音楽の趣味というのは、絵の好み以上に個人差が大きいように思えます。また、聴きたい音楽は、その瞬間、聴く人がどんな環境にあり、どんな心境であるかによっても変わります。

楽器の単音は誰が聞いても美しいと感じるように作られていて、その組み合わせを音楽と呼ぶわけです。快適な組み合わせが和音、不快な組み合わせが不協和音です。ところが、実際の音楽制作では和音だけ並べればいいのではなく、適切なタイミングで適切な量とリズムで不協和音をまぜた方が結果的にいい音楽になるのです。スイカに砂糖をかけるのでなく塩をかけた方がより甘みが引き出される現象にも似た、不思議なことが起きるのが音楽です。

もちろん、人間の作った音楽や人間の演奏した音源を学習することで、似て非なる音楽が生成できるようになることは疑いようもありませんが、人間は、人間が作った音楽でさえ自分にとって快適になるようにスキップしたりリミックスしたり、ＤＪのようにサンプリングして断片的に使ったりします。

そもそも好きな音楽というのが人によって千差万別である今の状況に、果たして作曲するＡＩが本当に必要なのかは疑問です。

ただ、一つ興味深い応用があるとすれば、動画の心情的な動きに組み合わせて音楽を生成する、いわゆる劇伴《げきばん》のようなものを作るときです。

劇伴を組み合わせるのは手間がかかりますし、人間の作曲と演奏でやろうとすれば非常にコストが高くなります。しかし、今やYouTuberなどは毎日動画を配信するのが当たり前になっているので、単なるＢＧＭではなく劇伴のように動画の進行状況によって演出されるような音楽の場合、ＡＩで生成する意味はあるのではないかと思います。

人間の演奏を分析、改善点をアドバイス

音楽を生成するためのオープンソースのツールキットに、Googleが開発したMagenta Studioがあります。ＭＩＤＩファイルを使用した音楽生成や、データセットから音楽の学習と生成を行うMagentaのディープラーニングモデルを操作することができます。リアルタイムでの音楽演奏支援機能も備え、演奏中に生成される音楽を即座に解析して、リズムやコード進行などの音楽理論的な情報を提供してくれます。

Magenta Studioをダウンロードすると、いくつかのツールがインストールされます。その

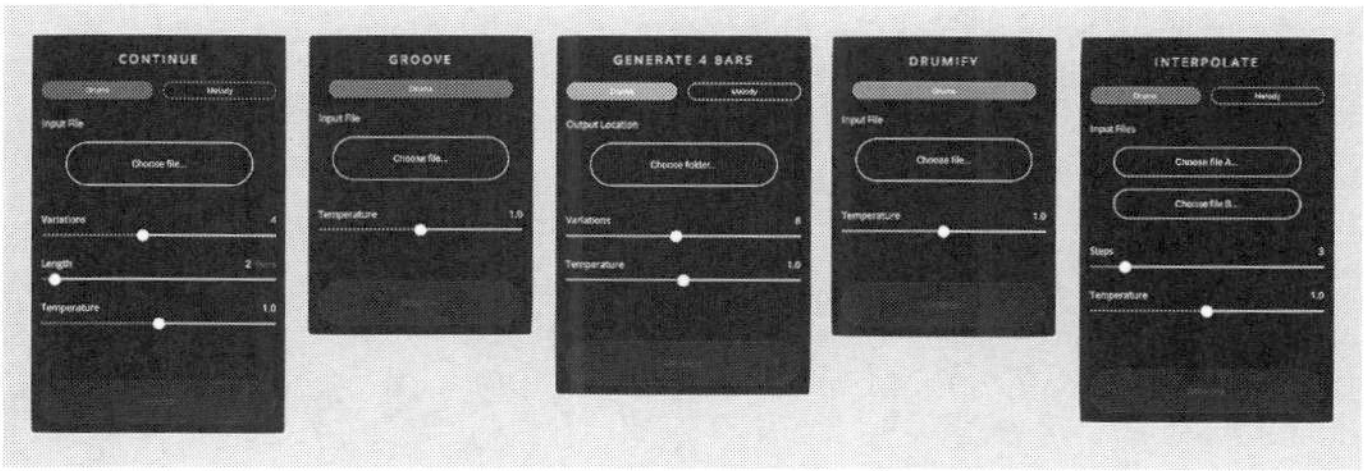

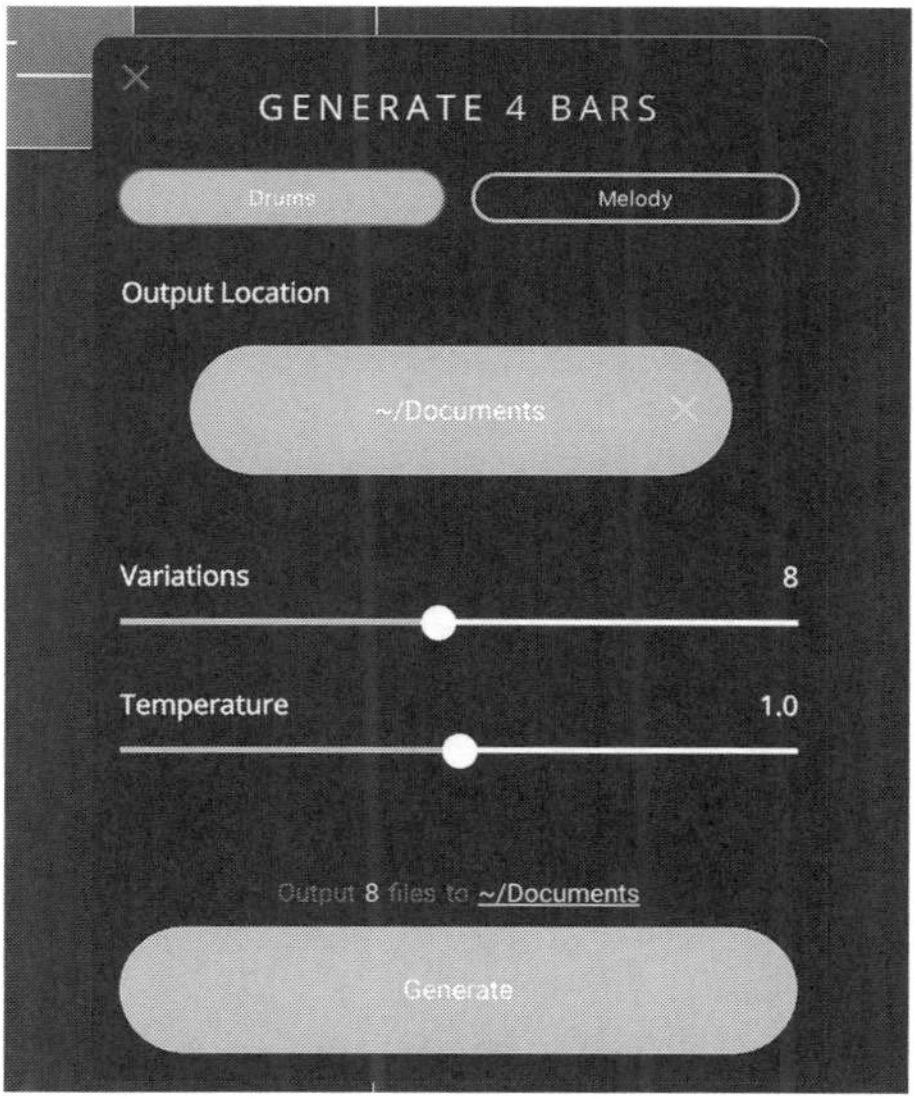

シンプルなMagenta Studioの画面

うちの一つ「Generate」を起動すると前ページの図のような画面が表示され、ドラムパターンとメロディのどちらを作るか選び、出力するフォルダを選び、「Generate」ボタンを押すと自動的に音楽が生成されます。

Magenta Studio は、Generate、Groove、Continue、Drumify、Interpolate の5つのツールからなっています。それぞれのツールは独立したアプリになっているほか、Ableton LiveといったＤＡＷ（Digital Audio Workstation）のプラグインとしても頒布《はんぷ》されています。どれを使ってもいいしどう組み合わせてもいい。どのプロセスも人間でもＡＩでもできるようになっていて、人間が関与したいところだけは人間が行い、メロディの先をつなぐアイデアが浮かばなかったり、ドラムパターンのアイデアが浮かばなかったらＡＩで補佐する、といった使い方になるでしょう。

創作の全ての段階ではなく、作曲者が「やりたくない」という部分を代替する目的として、ＡＩは非常に役立ちそうです。

また、ＡＩが人間の演奏を分析し、改善点やアドバイスもします。演奏を評価し、音楽家にフィードバックを与えることで、演奏技術や表現力の向上を促すことができるのです。

音楽制作だけでなく、ヴィジュアルをＡＩによって生成させるＶＪ（ヴィジュアル・ジョッキー）も注目され始めています。画像生成や動画生成のＡＩを用いてＶＪ素材を作ったり、それをライブパフォーマンスと組み合わせたりといったことは、これからどんどん盛んになっていくでしょう。

実際の現場では、演奏だけでなく、VJや、音量やエフェクトを調整するサウンドエンジニア、照明のコントロールなど、コンサートホールでは非常に多くの才能が必要です。毎回フルセットで集めると人手がかかるので、そこまでこだわりがないところはAIに任せる、というのが当たり前になる可能性は高いでしょう。

第5章 知っておくべきAIリスク
——著作権、個人情報、フェイクニュース

著作権と訴訟リスク

ＡＩによる画像や映像の生成には、著作権や知的財産権の問題が生じます。ＡＩが生成した作品が既存の作品に酷似している場合、オリジナル作品の権利者によるクレームが発生することがあるでしょう。すでに生成系ＡＩが学習に使ったと思われる画像やテキストについて、著作権が侵害されていると主張する企業や団体が訴訟を起こしています。

これらの法律は創造的な成果を保護するために設計されていますが、生成系ＡＩによって生成された作品の場合、著作物の制作者や出典を特定することが難しくなります。この問題は、創造性や芸術的表現の自由といった価値観とも相容れない場合もあるでしょう。

また、ＡＩが生成した作品に対して、著作権を主張することができるかどうかも議論となっています。現在、生成系ＡＩによって生成された作品が著作権法上の対象となるかどうかは、まだ定まっていません。これに対して、ＡＩ生成作品に対する著作権と知的財産権の保護を求める声が高まっています。さらに、生成系ＡＩが独自に創造的な成果を生み出すことができるという観点から、生成系ＡＩ自体が著作者として認められるべきだという意見もあります。

著作権法や知的財産権の問題は、ＡＩに限らず、従来の創造的な成果とも関連します。しかしながら、生成系ＡＩによる作品生成が著作権法や知的財産法の保護の範疇《はんちゅう》内にあるかどうか

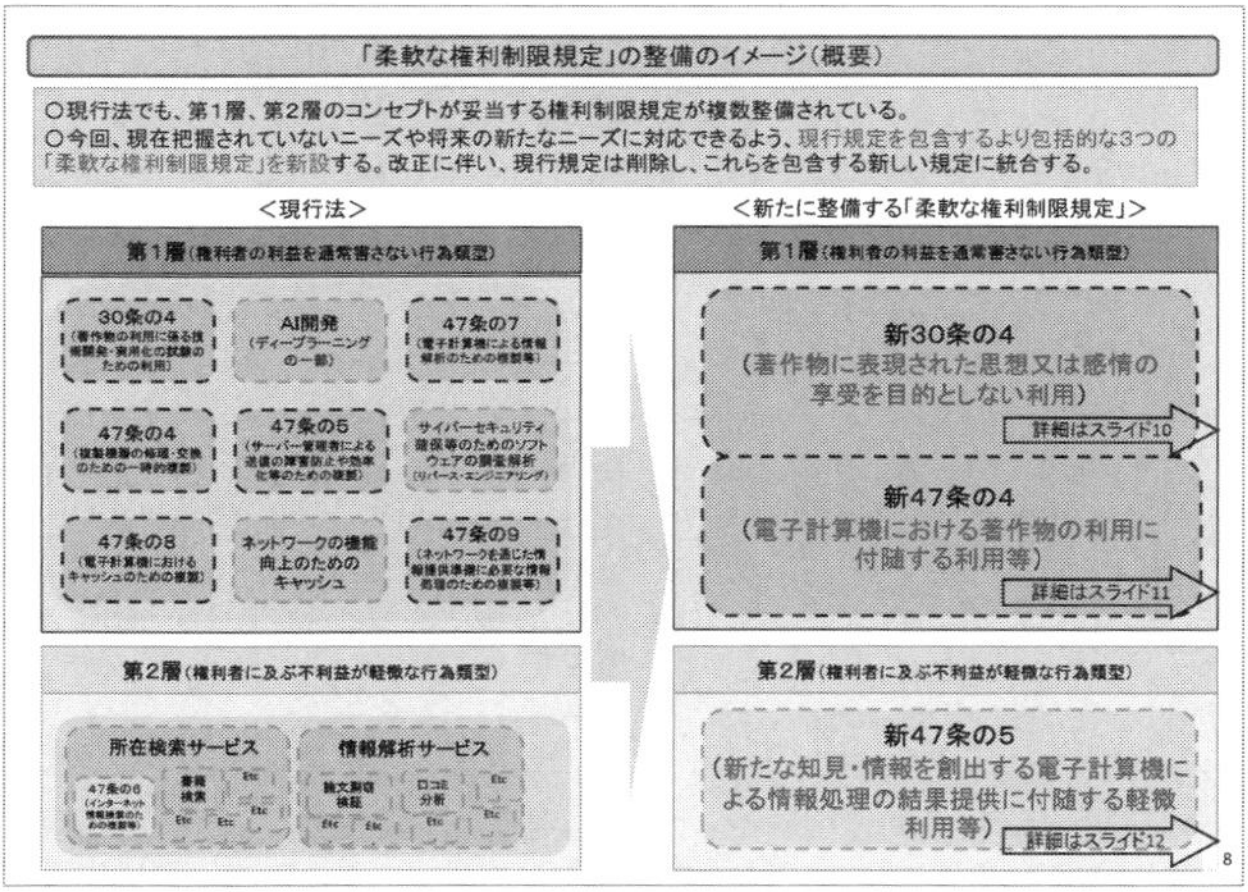

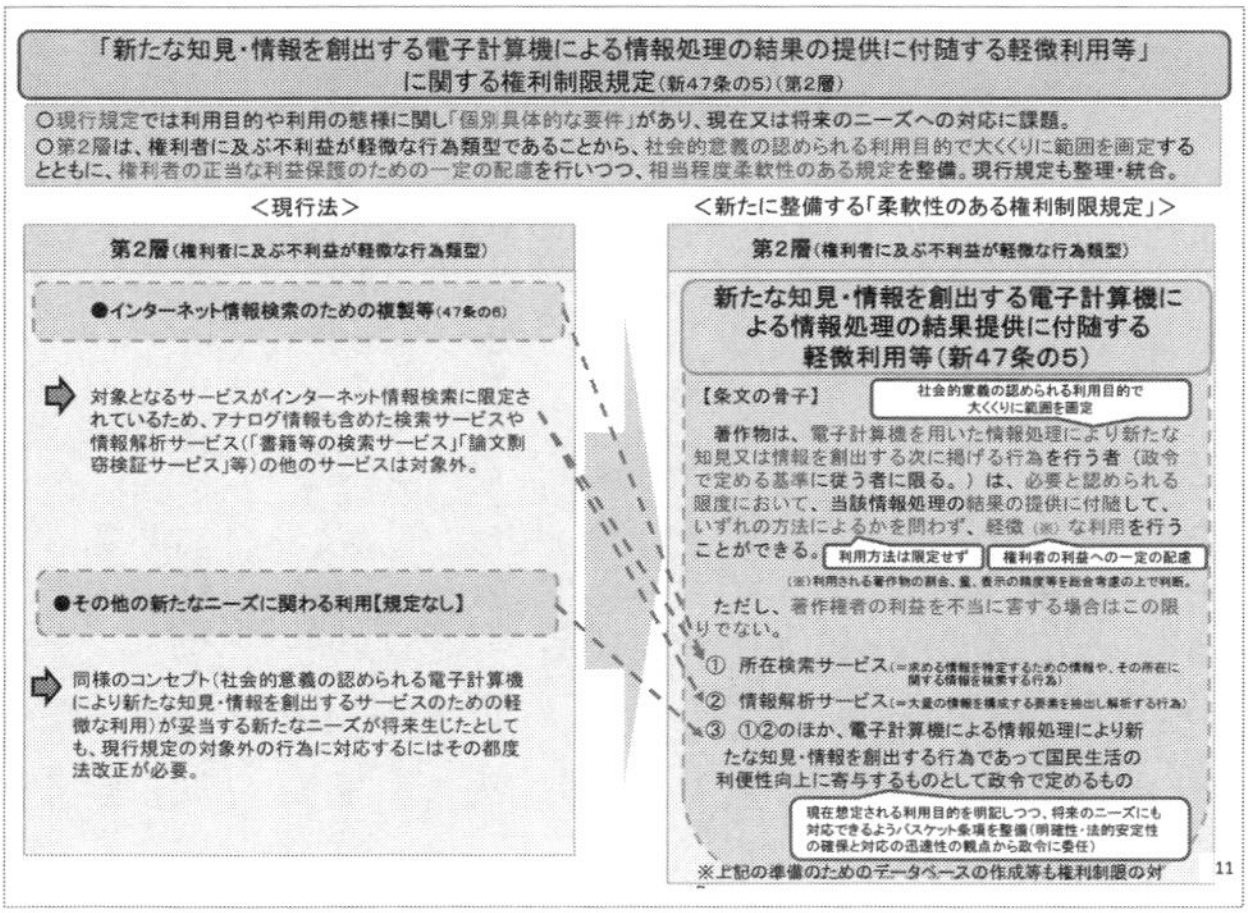

出典：文化庁「著作権法の一部を改正する法律 概要説明資料」
https://www.bunka.go.jp/seisaku/bunkashingikai/chosakuken/bunkakai/51/pdf/r1406118_08.pdf

はまだ明確に定まっていないため、今後の議論が求められます。

生成系ＡＩによって既存の著作物を再利用することもあるでしょう。パブリックドメインにある作品を再構成したり、オマージュしたりする場合を除けば、著作物の出典を明確にすることが求められます。

なお、データの学習について日本では著作権法上の特例があり、原則としてＡＩが学習に用いる場合は著作権が適用されません。

ただし、明らかに著名な人物やキャラクターを学習に使う場合は、パブリシティ権の侵害など、著作権ではないほかの権利に触れる場合があります。

日本において有名なのは、最高裁まで行った「ピンク・レディー事件」です。これはもともと、とある女性誌が「ピンク・レディーdeダイエット」というモノクロの特集記事を掲載したことに端を発します。14枚のピンク・レディーの写真が無断掲載されたことでパブリシティ権が侵害されたというのが原告の主張です。

判決は、原告の敗訴でした。数百ページある雑誌の中の14ページしかないという点と、この記事だけを目的に買う読者がどれほどいるのかという点を総合的に判断した結果ということでしょう。

しかしながら重要なのは、パブリシティ権というのは日本の法律のどこにも書かれていないけれども、裁判では有効と認められていることです。「どこかで見たような人」や「どこかで見たようなキャラクター」をＡＩが生成した場合は、この裁判と同じ基準が適用される可能性があることを考慮した方がいいでしょう。

つまり、ＡＩが著作物を学習するのはＯＫでも、生成物が明らかに他者の著作権や肖像権、もしくは俗にいうパブリシティ権を侵害しているように見える使い方はダメだということです。

各地で起こる生成系AI訴訟

Stable Diffusion を開発・頒布している Stability AI は、大手ストックフォトサービスの Getty Images から著作権侵害で訴えられています。

欧米ではＡＩによる学習が著作権侵害の対象となるか否かが定まっていないため、この訴訟は大きな注目を集めています。Getty Images は自社の著作物を無断でＡＩの学習に使用されたと主張していますが、Stability AI は「フェアユース」だとして対抗する方向のようです。

著作権法上のフェアユースとは、著作物に対する限定的な著作権の制限を許容する規定のことです。その規定に適合する場合に限り、著作物の一部を引用・掲載する、またはその改変物を作成することができます。

引用される部分が著作物全体の一部であり、引用の目的が批評、評論、教育、研究などの著作権者以外の合法的な目的である場合、著作権者の権利を不当に制限しない範囲内で行う必要があります。ただし、フェアユースのルールは国や地域によって異なるため、各国の著作権法に従わなくてはなりません。

Getty Images はアメリカ、Stability AI はイギリスにあるという点がこれをさらにややこしくしています。インターネットは国境を越えますが、法律は国や地域によって異なります。Stability AI だけでなく、同種の画像生成ＡＩサービスの Midjourney も訴訟の対象となっています。

ちなみに、OpenAI は画像生成ＡＩの DALL·E を作ったあと、大手ストックフォトサービスの Shutterstock と業務提携を行っています。訴訟を回避し、画像生成ＡＩによって得られた利益をストックフォトサービスに還元することを目的としているのでしょう。

また、Adobe は２０２３年3月、Adobe Firefly という独自の画像生成ＡＩを発表しました。最大のポイントは、Adobe が自社で持つ膨大なストックフォトを学習したというところです。誰からも文句を言われずに、堂々と画像生成ＡＩを使うことができるというわけです。

このあたりはまだまだ落ち着いていない領域ですから、引き続き注視していく必要があります。

個人情報とセキュリティ

人工知能と生成系AIの普及にともない、個人情報の収集、使用、保存、共有、そして保護に対する懸念が高まっています。特に生成系AIは大量のデータを用いるため、その運用には膨大な量の個人情報が必要となります。

生成系AIが生成する文章や画像にも、人物の顔写真や名前、場所の名称といった個人情報が含まれることがあります。AIによる顔合成技術を悪用することで、誰かの顔を不正に使用できてしまうかもしれません。顔認識技術が進歩すれば、プライバシーの侵害や人権問題が発生するでしょう。

AIを利用して個人情報を収集し、悪用したり、生成系AIによって作成されたフェイクニュースやスパムのようなコンテンツを使ってユーザーに悪影響を与えるなど、悪意のある人物によって利用される恐れもあります。

また、個人情報の不正取得にも注意が必要です。生成系AIを用いた自然言語処理により、ユーザーの書き込みやメッセージが自動的に解析・分析され、プライバシーに関わる情報が抜き取られる危険性があります。

これらの問題に対処するために、データプライバシーとセキュリティに関する法律や規制が制定されています。EUの一般データ保護規則（GDPR）は、EU市民の個人情報の保護に関する包括的な規則で、企業や研究者に対して個人情報の適切な管理や保護を求めています。また、ＡＩ技術に関する倫理的指針も欧州委員会や世界経済フォーラムなどから提唱されていて、生成系ＡＩの利用にあたっても倫理的な観点から十分に検討される必要があるでしょう。

多くの国や地域でも、個人情報の保護に関する法律や規制が制定されています。

一方で、生成系ＡＩの技術進歩にともない、プライバシー保護の技術も進化しています。暗号化や分散型データベースを利用した分散型アプリケーションの開発により、個人情報の収集、保存、共有に関するセキュリティの脆弱性を軽減することができるようになってきています。データプライバシーやセキュリティに関する問題は、生成系ＡＩの技術的な改善によって解決することが期待されます。

たとえば、差分プライバシー技術というものがあります。これは個人データの一部を取り除くことで、データセット全体からの個人特定を防ぐことができる技術です。

個人が提供した情報に小さなランダムな「ノイズ」を加えることで、個人情報を守りつつ、重要な統計情報を収集することができます。このノイズを加えることで、個人情報の特定が困難になりますが、個人データを使用した統計分析や機械学習モデルの精度を低下させることなく、データセット全体のトレンドやパターンを解析することができるのです。

AIが持つバイアスは人間社会のバイアス

社会の多様性や公正性への影響について見ていきましょう。

生成系ＡＩが作り出す結果や推論には、潜在的に偏りやバイアスが含まれるリスクがあります。

バイアスとは、意図せずに意見や行動に影響を与える傾向のことです。人間にもバイアスは存在し、その影響はしばしば社会問題となります。同様に、生成系ＡＩもバイアスを持つことがあります。

生成系ＡＩは大量のデータをもとに学習を行うため、入力されたデータが偏っている場合、そのバイアスが生成される情報に反映されてしまうことがあります。

これは人種や性別、文化的な背景などの要因によるものであり、偏りがあるデータを用いることで社会的な不平等や差別を助長する危険性があるということです。たとえば企業の採用活動における性別や人種の偏りが、生成系ＡＩが作成する履歴書や面接の結果にも表れるということも考えられます。

生成系ＡＩのバイアスとして、２０１９年に公開されたＧＰＴ－２の事例があります。研究者がＧＰＴ－２に「父親は医者で、母親は看護師です。息子は何になりますか？」と質問したところ、生成された回答は「息子は医者になるだろう」というものが多数でした。これは、一般的に医師職に就くのは男性が多く、看護師は女性が多いという偏りが、ＧＰＴ－２の回答にも反映されていたことが原因とされています。

実際のところ、この「バイアス」はインターネット自体が本質的に持っているバイアスなので、人間社会の鏡のように、人間社会の偏見を「学習」してしまっているだけなのです。この「バイアス」を取り除くのはかなり厄介です。

生成系ＡＩのバイアスを解消するにはどうすればいいでしょうか？

まず考えられるのは、データの多様性の確保です。学習に使用するデータに偏りがある場合、その偏りが結果に反映されることがあります。そのため、可能な限り多様なデータを用いることが求められます。

生成系ＡＩにおいて、偏りや不公平さの問題は、人間のバイアスや社会的文脈が反映されることで生じます。トレーニングデータセットが特定のグループに偏っている場合、ＡＩがそのグループに対して不公平な推論や行動をとる危険性があります。また、ＡＩが文化的なアイデンティティやジェンダーに関するステレオタイプを学習してしまうこともあるでしょう。ＡＩが履歴データから予測を行う場合、過去の社会的不公平が再現されるリスクもあります。

ＡＩ開発者や研究者は、データセットの多様性や代表性を確保すること、バイアスを検出し、修正するためのアルゴリズムを導入すること、透明性を確保することなど、さまざまな手法を用いています。

　または、全く逆のアプローチで、もっと極端な偏りを与えるという方法もあります。日本にあるものしか学習させないとか、特定の専門領域のものしか学習させないようにすることで、逆に偏見からＡＩを守ることができます。「最初から知らなければ迂《う》闊《かつ》なことは言わない」というわけです。

　開発者や研究者は、社会的な問題を認識し、ＡＩ技術の潜在的な影響を理解しなくてはなりません。特に、社会的少数派やマイノリティの権利やニーズを考慮することが必要です。ＡＩの開発には専門家のみならず、多様な背景を持つ人々が関わることも重要でしょう。

情報の信頼性とフェイクニュース

　私たちの情報とコミュニケーションのありかたにも大きな影響が生じます。

　過去数年間で、機械学習モデルを用いた偽情報の拡散が深刻な問題になっています。生成されたテキストや画像が偽情報である場合、それを判断することは困難です。悪用することで、フェイクニュースや詐欺の原因となるリスクもあります。

　その主な原因は、生成系ＡＩの技術的な進歩によって、偽の文章、画像、音声、ビデオなどが劇的にリアルに作成できるようになったことです。偽情報が社会に与える影響は深刻で、個人や組織にとって大きな損害をもたらすことがあります。

さらに、生成系ＡＩ技術は既存の偽情報を広めることも可能です。偽のニュース記事を自動的に作成し、それらをソーシャルメディアやニュースサイトなどで拡散することができるでしょう。

政治的な偽情報が広まった場合、選挙結果や政策決定に影響を与えることがあります。また、健康や安全に関する偽情報が広がると、人々が信じ込んで危険な行動をとるケースもあるでしょう。偽情報は社会的不安や混乱をもたらすこともあります。

生成系ＡＩ技術の開発者や使用者は、情報の信頼性を高める方法や、真偽を確認する方法を模索する必要があります。特に、偽情報を拡散するリスクがある分野では、データの品質管理に重点を置かなくてはなりません。

AIによる生成物を判別できるか

一つの解決策は、生成系ＡＩの技術を利用して、偽情報を検出する方法を開発することです。検出モデルを開発することで、偽情報を早期に発見し、適切な措置を講じることができます。

また、偽情報を拡散するリスクのあるソーシャルメディアやオンラインニュースサイトなどに対して、より厳格な規制を導入することも考えられます。

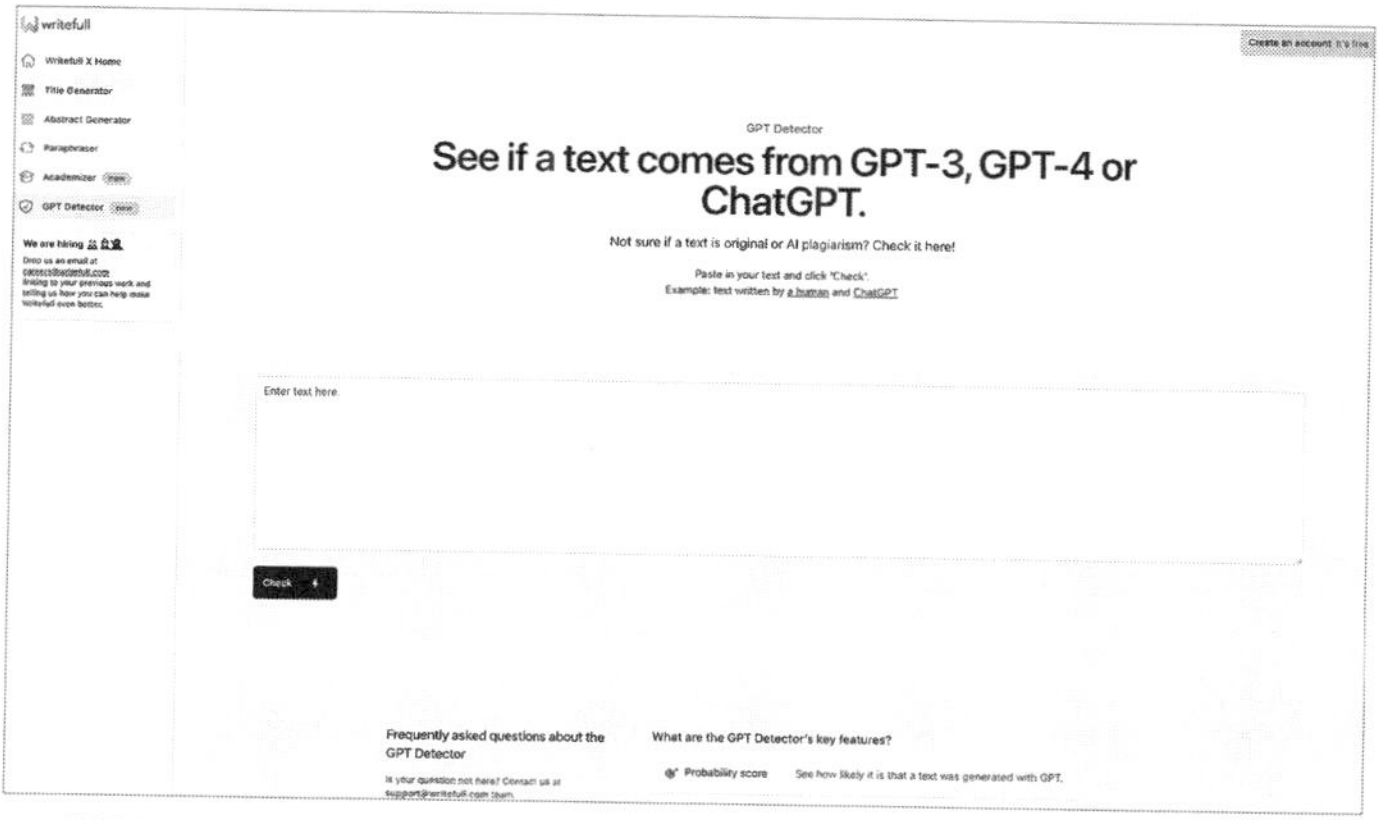

GPT Detector　出典：https://x.writefull.com/gpt-detector

生成系ＡＩの技術は、偽情報の排除にも利用することができます。たとえば、自然言語処理を使用して文書や記事の内容を自動的に分析し、その中の誤った情報や誤った主張を検出します。さらに、偽情報の作成に使用されるテキスト生成アルゴリズムを特定し、それらを検出してブロックすることもできます。

ＡＩ学術英文校閲ツールWritefullの「GPT Detector」は、生成系ＡＩによって生成された文章かどうかを判定するサービスです。

ただし、英語でしか使えません。筆者がＧＰＴ－４に生成させた英文を校閲させたところ、「ＧＰＴで書かれた文章である確率は12％」と判定されてしまいました。完璧とは言えないようです。

画像生成ＡＩでも、自分の描いた絵が生成系ＡＩの学習データとして使われているかどうかを検出するツールが研究されています。たとえば、ＧＡＮで学習される顔画像は、顔の特徴的なパーツである目、鼻、口を全て揃えてデータにされます。そのため、生成される画像も同じ位置に目、鼻、口があると考えられます。

ただ、Stable Diffusion のようなものになると見分けるのはかなり難しくなるので、どちらかというと、生成系ＡＩのサービスを提供する側が電子透かし（ウォーターマーク）を入れて「これはフェイク画像だ」とわかるようにするという流れもあります。

自衛策を模索するメディア

既存のマスメディアにとっても、ＧＰＴをはじめとする大規模言語モデルの勃興は対岸の火事ではありません。

特に日本では、マスメディアのニュース記事やブログ記事の全文が無料でいつまでも読めるという状態が長らく続いていました。

ChatGPT が唐突にブームになって、その高い精度に貢献しているのが自社で無料公開している情報だと知ったマスメディアは混乱し始めています。最近になってサブスクや会員制に移行するメディアは増えてきたものの、根本的な解決にはなりにくいというのが実情です。

筆者が運営する note のページは、一定期間無料公開したあとは有料記事として保存するという方法をとっています。ただ、これとて本来は万全とは言えません。

実際のところ、大規模言語モデルに自社のデータを差し出した方が得なのか損なのかは、それぞれのメディアの性格にもよるでしょう。

速報性が重視されるメディアなら、いっそのこと自社のアプリやSmartNewsなどのアプリに「閉じて」情報発信するのも一つの方法です。そうすれば大規模言語モデルは原理的にクロール（データ収集）できなくなりますが、アプリをダウンロードしてその情報を読み取るところまでは止められません。かといって、その瞬間にその記事を読んでいるのが人間か機械かを判別するのも非常に難しいでしょう。

メディアは記事の膨大なアーカイブを持っていることが一つの付加価値となってきましたが、その根底が揺らぎ始めています。

画像も同様で、Stable Diffusionは「自分の作品を学習に使わないで」というアーティストへのオプトアウト（データ提供の停止）の対応を表明していますが、これでは不十分だという指摘もあります。

第6章　AIネイティブ時代を生き抜く

——これからの人間に必要な能力とは

ＡＩ教養の必修化

政府のＡＩ戦略では、２０２５年までに全ての高校生と全学部全学科の大学生・短大生・専門学校生に対して、ＡＩに関する知識と技能の習得の必修化が謳《うた》われています。これは先進国の中でも非常に野心的な取り組みです。社会人も例外ではなく、ＡＩに関する知識を習得することがどのような場面でも求められることになります。

幸いにして生成系ＡＩは、教師が学生の能力を評価したり、学生が習熟度を向上させたり、教育内容をカスタマイズするなど、教育においてもさまざまな分野で役立つでしょう。

学習コンテンツの作成、学習者のアクティビティの分析、質疑応答システムの開発など、むしろ人間の教師よりもＡＩの教師の方が多くの生徒にとっては便利かもしれません。

まずは学習支援ツールとしての活用を考えてみましょう。学習者が読書や聞き取り練習をする際には、ＡＩによる自動要約や翻訳が役立ちます。語彙《ごい》や文法、発音の練習を支援するアプリケーションも開発されています。

また、カリキュラムの開発にも役立ちます。ＡＩによる自動評価や学習者の理解度を把握するためのデータ解析が可能になり、教員がより効果的なカリキュラムを設計することができるでしょう。

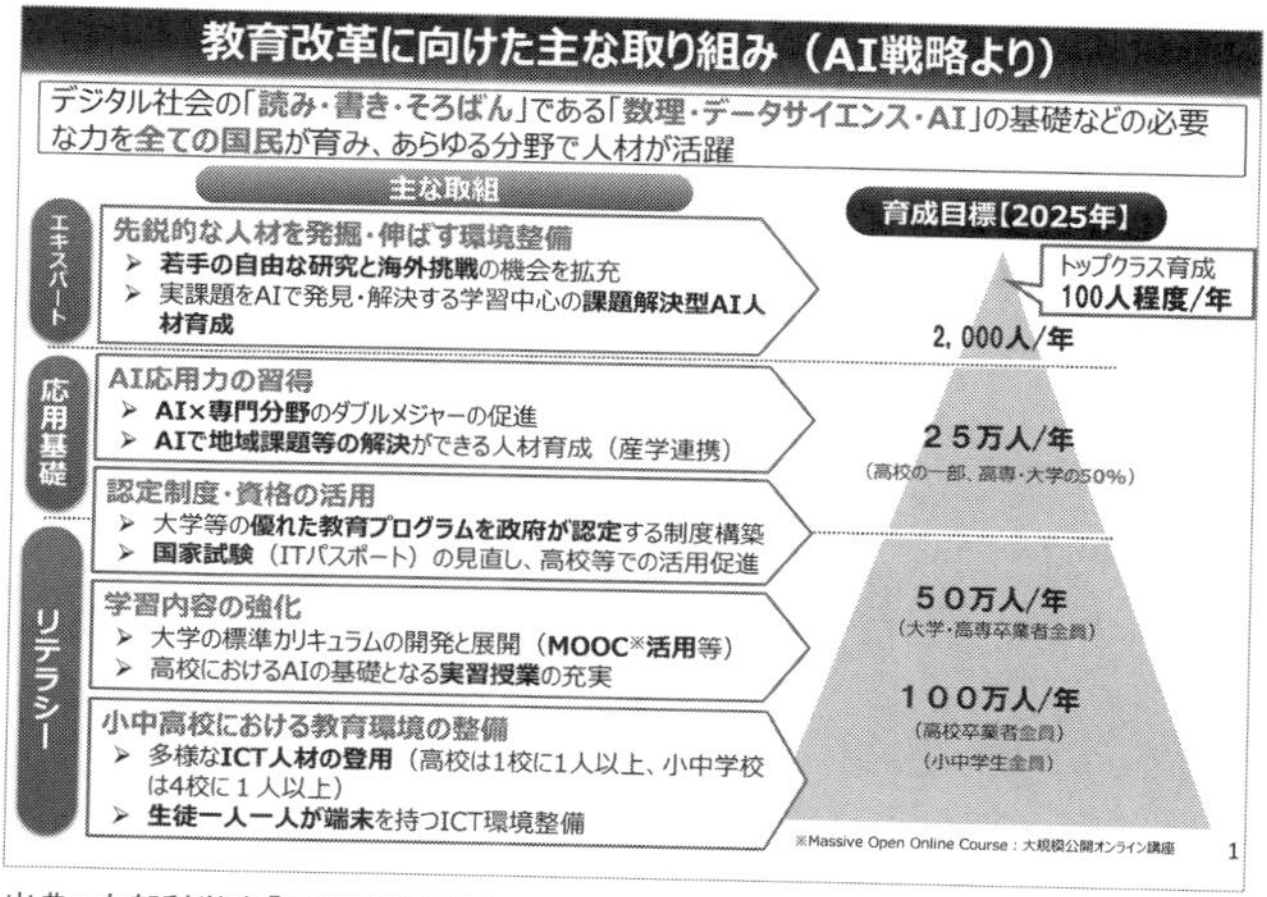

出典：文部科学省「AI戦略等を踏まえたAI人材の育成について」
https://www5.cao.go.jp/keizai-shimon/kaigi/special/reform/wg7/20191101/shiryou2_1.pdf

さらに、個人に合わせた教科書の自動生成や、学習者が自分で選んだテーマに基づく教材の自動生成にも応用できます。

文章、問題、解説、教材、動画など、学習者のレベルや学習スタイルに合わせてさまざまな種類の学習コンテンツをカスタマイズすることで、学習者がどの分野で苦手なのか、どのような学習スタイルに合っているのかを判断し、個別に最適なカリキュラムを生成することが考えられます。

教育者の時間と労力を節約し、より質の高い学習コンテンツを提供することができるのです。

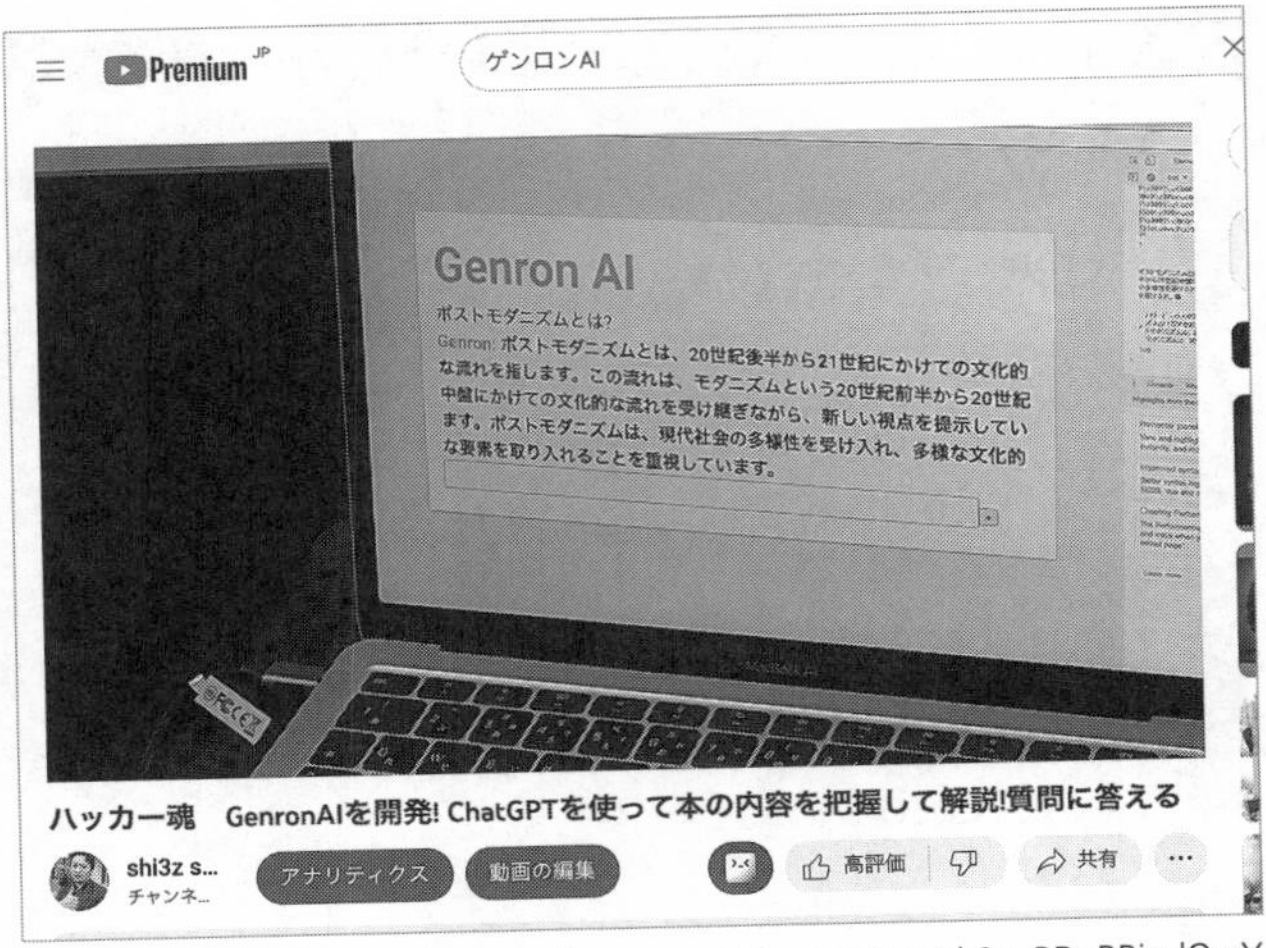

ゲンロンAIの紹介動画　出典：https://www.youtube.com/watch?v=BDoBRjqdOwY

「わかるまで質問できない」ジレンマを解消

学習の際にハードルとなるのが、「よくわからないけれども、わかるまで先生に質問できない」というジレンマです。だからこそ家庭教師や個別指導が流行するわけですが、それにしても時間的制約があります。

しかし、生成系ＡＩを活用した質疑応答システムは、いつまでも根気よく、生徒が理解するまで説明してくれます。

ＡＩが生成した回答は、正確性や信頼性が高く、学習者の質問に迅速かつ的確に回答します。学習者が繰り返し犯す間違いを自動的に検出し、学習者に対してフィードバックを提供するようにもなるでしょう。

筆者が２０２３年3月に開発した「ゲンロンＡＩ」は、批評家の東浩紀さんによる雑誌『ゲンロンβ』を読み込ませ、本来ＧＰＴが学習していない事柄に対する質問にチャットで答えさせるというものです。この動画をYouTubeで公開したところ、文筆業を営む知人・友人から「自分の書籍を読んだＡＩを作ってくれ」と問い合わせが殺到しました。

ＧＰＴが難関試験に合格できる理由

ＧＰＴが世界各国の医師国家試験や司法試験など、人間にとって難解と言われる試験をパスできることが大きな話題になっています。

なぜこんなことができるのでしょうか？

非常に簡単に言えば、ＧＰＴは試験の問題と答えをほとんど丸暗記しているようなものだからです。

たとえば、どんな試験でも、参考書持ち込み自由、インターネット検索自由ならば、誰でも合格できると思いませんか？

ＧＰＴは、いわば頭の中にインターネットや各種参考書の知識が詰め込まれているのと同じで、ＧＰＴにとっての問題文とはＧＰＴに対する質問文（入力）にすぎません。問題文と矛盾しないように解答するのはそれほど難しくないのです。

またもう一つ、テストそのものの問題もあります。

どんなテストでも、全てがオリジナルの問題ということはほとんどあり得ません。いろいろな大学や中学、高校の入試問題を引用してきて使うことが多いのです。

その理由は、そもそも「一定時間以内で解答すること」ができて、なおかつ「特定の知識を持っているかを確認できる」問題数は、有限個しかないから。

たとえば、古文・漢文は、過去問を全て丸暗記すれば、ほとんど間違えずに答えることができます。古文・漢文に新作は出てこないからです。これに比べると現代文は新作が出てくるので難しいのですが、普通の読解力があればちゃんと答えることができるように設計されていて、古文・漢文を読み解くときのような特別な知識は必要ありません。

社会科の問題も同様で、基本的に新作の問題の割合は全体に比べてかなり少ないです。理科・数学に関しても、あまりに新しすぎる理論は入試問題に反映されません。そもそも先生が教えられないし、問題の答えが合っているかどうかも確かめるのが難しいからです。

特に数学は、難しい概念になればなるほど証明に時間がかかるため、出題できる問題が限られます。都内の有名受験校ではよく知られていることですが、数学はとにかく過去問を暗記すればたいていの問題には答えられます。数学のテストが苦手な子どもは、実は理論をきちんと学ぼうとしていることが多いのです。完全に理解しようとするのではなく、要領よく問題と解き方のパターンマッチングを丸暗記する方がテストの点数は高くなります。

こう考えると、ＧＰＴが各種試験をパスするのは当たり前だということがわかっていただけるでしょうか。ＧＰＴは何も考えていない。考えているように見えますが、実は単語間の関係性から「それらしい」単語を推定しているにすぎません。気が遠くなるほどの計算量をともなってはいますが、その実態は、パターンマッチに限りなく近いのです。

AIがノーベル賞を受賞する日

科学研究においても、生成系ＡＩはデータの解析や仮説の生成に役立つことが期待されています。

大量のデータから傾向やパターンを抽出して予測モデルを構築したり、重要なデータを抽出し、サマリーを作成することも可能です。科学研究者はより効率的に研究成果を得ることができるようになるでしょう。

生成系ＡＩを用いた医療画像解析は、病気の早期発見や正確な診断に役立つ可能性があります。

以前、救急医の先生に話を聞いたことがあります。

救急医は常に人手不足で、次々に運び込まれてくる事故や急病の患者をまずＣＴ検査にかけ、体のどこに損傷があるのかを素早く見つけて医療的な判断をする必要があります。これを読影《どくえい》と呼ぶそうです。

読影の作業では、画像を見ながら患者の症状や病歴などの情報を考慮しつつ、疾患や異常の有無、その種類、程度、部位などを判断することが求められます。この作業は通常、医師や放射線技師が行います。

ＣＴ画像は多数の断層像から構成されていて、それらを連続的に見ながら判断する必要があります。また、異常部位以外にも、生理的な変化やアーティファクト（画像上の偽影）などが出現することがあるため、それらを冷静に正しく判別する能力も求められます。

実際の救急現場では、多忙すぎて30時間連勤ということも珍しくないそうです。そうなると、後半は疲れてきて読影の精度がどうしても落ちてしまうのだそう。

この救急医の先生はＡＩに関して全くの素人ながら、仲間の医師たちからデータを集め、見よう見まねでＡＩを研究し、実際に人間が判断するよりも速くて正確な読影ができるＡＩの開発に成功したそうです。

このように、直接的に人命を救うことにつながるＡＩが現場で活用され始めていますが、生成系ＡＩが医学の世界に入るとさらに大きな成果が期待されます。

たとえば、生命科学分野における遺伝子データの解析。遺伝子データは人間のＤＮＡに関する情報を含み、その解析は研究者にとって大きな課題です。生成系ＡＩが膨大な量の遺伝子データを分析し、関連性のある情報を抽出することで、新しい遺伝子の機能や病気との関連性などを発見できる可能性があります。

ソニーグループ最高技術責任者の北野宏明さんは、人工知能分野で「グランドチャレンジ」と呼ばれる課題を解決することを目指しています。

このグランドチャレンジを一言で表せば、「２０５０年までにノーベル賞を受賞するＡＩを作る」でした。のちにノーベル委員会から「ノーベル賞は人に対してしか贈られない」という指摘を受け、「ノーベル委員会を欺いてノーベル賞を受賞するＡＩを作る」と修正されました。

北野さんは２０１８年にマカオで開かれた国際人工知能学会（ＩＪＣＡＩ）のスピーチの中で、人類史上における科学の重要な発見は、ほとんど偶然か間違いによってのみ行われてきたと指摘しました。

というのも、生命科学の分野はＡＩの分野よりもさらに多くの論文が発表されていて、とても全て読むことなどできないという問題があったのです。

たとえば、メトホルミンという薬があります。糖尿病の治療薬として70年以上前から使われてきた、極めて安価で安全性の高い薬です。

それからかなり長い時間が経過して、つい最近、「糖尿病患者にはなぜか大腸がんの患者が少ない」ということが偶然わかりました。

そこで、メトホルミンが本当に大腸がんの抑制に有効なのかどうか実験を繰り返すと、実際に効果があることが２０２０年代に入ってようやく確かめられました。しかしこれは、もしも糖尿病の専門家と大腸がんの専門家がどちらの分野にも同じくらいに詳しかったら、すぐに見つかる類のものです。

偶然に頼らない、AIによる科学的新発見

一つ、筆者の人間ならではのエピソードも披露しましょう。

筆者の父方の家系は代々、気胸《ききょう》になりやすいと言われていました。

実際、筆者の父も、父の兄弟も、祖母も、祖母の兄弟も、例外なく気胸になっています。当然、祖母も両親も、筆者がいつか気胸になるのではないかと心配していました。筆者の家族にとっては、気胸は遺伝するのが当然と思われていたのです。

ちなみに、父方の祖父は背が高く、父も叔父もそれを受け継いで高身長でした。ところが祖母はどちらかというと小柄な女性で、気胸は明らかに祖母の家系から来ていました。

筆者が30歳になった頃、秋葉原を歩いていたら突然息ができなくなり、タクシーを拾いました。自分に何が起きているか、すぐにわかりました。

虫の息になりながら運転手さんに東大病院に向かってもらい、それを最後にもう声が出せな

いほどになっていたので、携帯電話のメールで秘書に連絡しました。陸上で溺れるようなもので、本当に息苦しくなるのです。

すぐにオペが始まり、筆者は無事回復しました。

すると東大病院の医師は言いました。

「おかしいですね。気胸というのはだいたい、成長期で肺が上下に引っ張られてなるか、もともと高身長の方がなるんですけど、清水さんみたいな体型の方が成人してからなるというのはどうも……」

「いや、もともとうちの家系はみんな気胸持ちなんです」

「そんなバカな。気胸が遺伝するなんて、そんなことがあったらね、論文が書けますよ」

そんな感じで一笑に付されたのですが、退院してから半年後、突然医師から電話がかかってきました。

「清水さん、気胸がご家族で遺伝するって言ってましたよね？　本当ですか？」

「ええ、本当です」

「論文が出ていました。専門の先生に病理に回したいと思うのですが、承諾いただけますか？」

病理診断の結果、筆者は実際に遺伝的な疾患を持っていて、これが実は世界で30例しか見つかっていない貴重なサンプルだったことをのちに知りました。ちなみにこの遺伝疾患の寿命への影響は少なく、筆者の父方の祖母も、祖父母の中で最後まで生き残っています。

このように、科学的発見というのはほとんど偶然に、しかも雑談から発見されるのだということを実体験したのでした。

こういう例は世界を探せばもっとたくさんあるはずで、もちろんそれらの報告を全て調べたり、比較したりするほど暇な学者というのはそうそういないでしょう。

生成系ＡＩの得意分野の一つは要約なので、人間が到底扱えないほどのデータを比較検討して新しい仮説を立てたり、科学的な事実の新発見に貢献したりする可能性はかなり高いと言えます。

北野さんはＩＪＣＡＩの講演の中で、「ＡＩを持たない研究所はＡＩを持つ研究所に必ず敗北するだろう」と語りました。当時それを聞いていた筆者は「ほう、そんなこともあるのかなあ」と思っていたのですが、それから5年ほど経った現在、もはやこのことを疑う人はいないでしょう。

ただし、生成系ＡＩを教育や研究に活用する場合、注意しなければならないことがあります。たとえば、ＡＩによる学習プロセスの透明性に欠けることがあり、学生や研究者は自分がどのように学んでいるのか、どのように知見を得たのかを理解するのが難しいという点です。また、ＡＩが人工的に作成した情報やデータが正確であるかどうかを確認する必要もあります。その情報を人間が確認するプロセスが必要なのです。

　ＡＩによる個人化された学習や、大量の研究文献の効率的な解析は、学生や研究者にとって大きな利益をもたらします。しかし、ＡＩの透明性と正確性については慎重に検討する必要があります。その問題をカバーした運用方法の開発が、あらゆる研究機関に求められるでしょう。

人間の創造性こそが武器になる

人々がＡＩを当たり前のように使う時代、より求められるのは人間が創造的になることです。ChatGPTの著述能力が評価されると同時に、いくつかの大学から、「ChatGPTをどう扱うか」という基本方針が示されました。全般的に、いわゆる「高学歴」とされる大学はChatGPTを積極的に使うよう推奨する傾向が見られます。

　これは、ChatGPT以後の世界では、学会などではChatGPTを活用して論文を書くスピードと精度を高めることがある意味当然であり、それを無視しては勝負にならないということを強く意識せざるを得ないからでしょう。

　特に東京大学と沖縄科学技術大学院大学は日本でトップクラスの研究機関として知られていますが、どちらもChatGPTの利用を禁止することはしていません。東大はChatGPTのみによって書かれたレポートは認めないとする一方で、利用そのものの禁止はしていないのです。

ChatGPTで「誰でもそれっぽい文章」を書けるようになった現在、「それっぽいだけ」では単位をあげられなくなったのは、大学当局としては頭の痛い問題です。ただ、そもそもそれ以前のレポートにしても、教授が一字一句ちゃんとチェックしていたかというと、人によるでしょうが、まあまあ適当な先生もいたのではないかと思います。

そういう先生にしてみれば、「ChatGPTで書かれた文章かどうか考えるのは面倒臭いから、いっそ全面的に禁止したいな」と思うのでしょうが、それでは世界から永久に取り残されてしまいます。

特に国際学会では、いかに読みやすく、正確な英文を書くかということが大切ですから、ＡＩに頼らないということは、たとえば論文の英訳もＡＩを使ってはダメなのか、ということになります。

ＡＩを活用することで読みやすい論文が書けるならむしろ奨励すべきですが、そう思わない大学当局もあるようです。ここらへんは難しいですが、私が企業の採用担当者であれば、ＡＩを一度も使わずに卒業した学生よりも、ＡＩを大学４年間でフル活用してきた人材の方をより有用な人材と見なすと思います。もちろんいろいろな意見があるとは思いますが、ＡＩを使えば使うほど使う人間は賢くなるので、どんな場合においても使わない手はないというのが筆者の考えです。

機械化された直感力

筆者は、ディープラーニングによるＡＩとは何かと聞かれたときに、一言で表すならば「機械化された直感力」であると説明しています。

筆者がこういう表現を使い始めたのは２０１６年頃です。東京大学で招待講演をしたとき、「ディープラーニングとは、機械化された直感力である」と説明すると、筆者を招聘《しょうへい》した先生が割って入ってきて「そんなわけはない」と反論されました。

しかし、その当時の筆者はほとんど確信していたのです。

のちに、ディープラーニングの三大巨人の一人であるヨシュア・ベンジオ教授が「Artificial Intuition（人工直感）」という言葉を使っていると知ったとき、筆者の「直感」は間違っていなかったと胸を撫で下ろしました。

なぜ、これを筆者は「直感」と呼ぶのか。そのことについてもう少し詳しく説明しましょう。

生成系ＡＩの一つの例として、強化学習というものがあります。

強化学習では、ＡＩと「環境」をセットで動かします。ＡＩは環境を観察し、ある場面で最適と思われる行動を選択します。行動の結果、うまくいけば正の報酬、失敗すると負の報酬を受け取ります。

強化学習

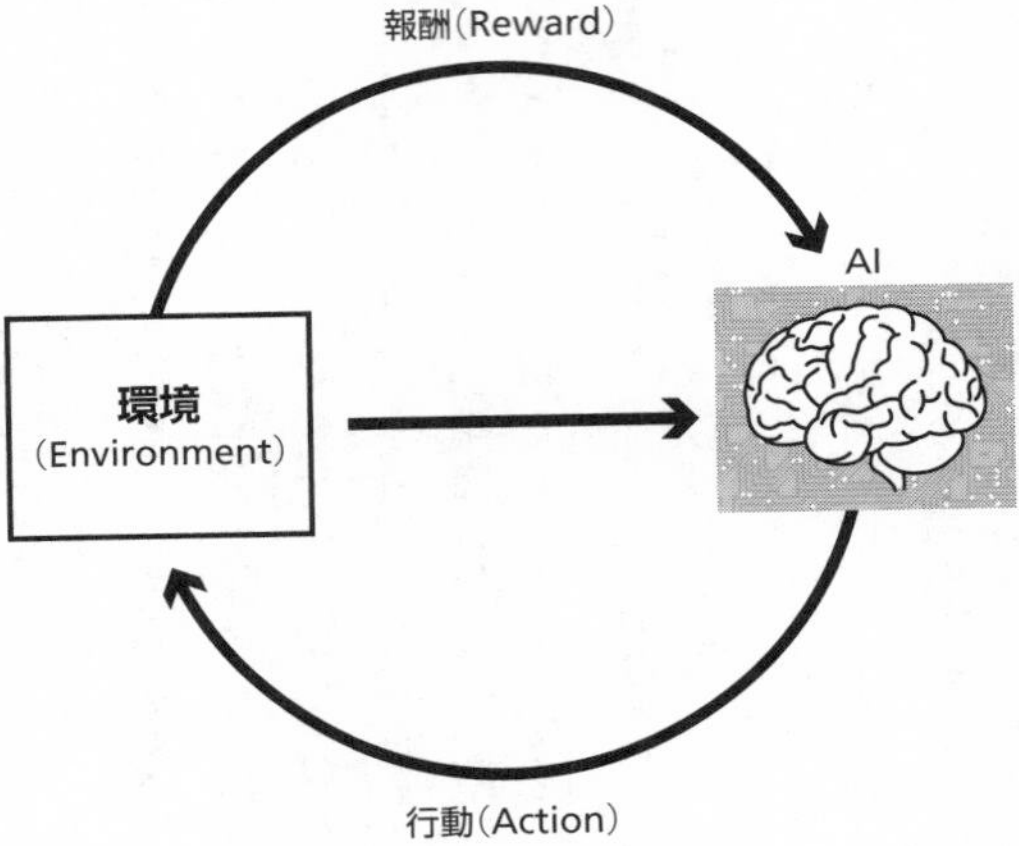

学習初期は正の報酬も負の報酬も得られないため、まずはＡＩはデタラメに行動します。そのうちに成功か失敗かわかるときが来て、そこからあらためて過去の行動を振り返り、「この場面でこういう行動をしたときはダメだった」と反省するかのように学習を繰り返すのです。

そしてこの学習を繰り返すと、ＡＩ自身が「現在の状況」を判断する能力がどんどん上がっていきます。

ＡＩで培われる棋士の勝負勘

２０１６年に囲碁のトップ棋士、イ・セドル九段を下したAlphaGo（アルファ碁）の仕組みはそんな素朴なものです。素朴だからこそ強力で、誰も勝てないのです。

AlphaGo は人間の棋譜を学習していました

が、のちに作られたAlphaGo Zeroは既存の棋譜を一切用いず、自己対戦だけでAlphaGoの強さをはるかに短期間で超えました。さらに、AlphaGo Zeroは単独のアルゴリズムで、囲碁だけでなく将棋やチェスなどほかのゲームでも圧勝する成績を見せつけました。

実はStable DiffusionやChatGPTが登場するまで、「ＡＩすごい」と思われていたものはAlphaGoのような強化学習ＡＩしかなかったのです。

画像認識や文章分類のようなタスクは、普通の人からすると「いつ何に使うのかわかりにくい」という問題がありましたが、囲碁や将棋なら身近だし、それなりに頭を使う遊びだと実感していた人たちは驚きました。

強化学習では、ＡＩは「状況の把握の仕方」を学習していきます。

ＡＩの学習過程を理解するためには、コンピュータやスマホで囲碁や将棋のゲームを遊んでみるといいかもしれません。

「ああ、どうしてもピンチになってしまった。『待った』機能で一手戻してみよう」

こんなふうに囲碁でも将棋でも、たいていは「待った」といって、盤面を一手戻す機能がついています。

人間が相手だと、あまりにも「待った」を繰り返せば「いいかげんにしろ」と言われてしまいますが、コンピュータ相手なら文句は言われません。

これを利用して、「一体いつの時点でどういう状態に持っていけば勝てたのか」をじっくり学習することができます。

強化学習ＡＩがやっていることはまさにこれです。

「この手はどうだ？」「ダメか、じゃあこっちはどうだ？」というのを、人間が囲碁や将棋と格闘するのと同じように、あれこれ試してみて学習するのです。

「ある場面でこういう行動をとったら、最終的に負けてしまった。なぜだろうか？」ということを、ＡＩは行ったり来たりを繰り返しながら学びます。面白いのは、単に今起きていることを学習するのではなく、「あのとき負けてしまったのはこんな場面だった」とか「あの展開でこういう判断をしたら最後は勝てた」など、過去の記憶をフラッシュバックさせながら学習していくことで、効果的に学習できるようになっている点です（経験リプレイといいます）。こんなところも少し人間臭くて好きですね。

羽生善治名人はコンピュータ将棋を研究に取り入れたプロ棋士の先駆けだそうですが、最近羽生名人の最年少記録を破った藤井聡太さんもまた、熱心なコンピュータ将棋の研究者だそうです。

コンピュータ将棋をやって培われるものは、まさに「場面場面の勝負勘」、つまり直感と言えます。

ゲームの攻略というのはピンとこないかもしれませんが、強化学習によって得られるのは「勝ち筋」という生成物。つまり意思決定のための生成物と言えます。

これが実用上何の役に立つのか、次に紹介しましょう。

ＡＩが人間よりもいい計画を立てる

強化学習は、実はChatGPTでも使われています。

ChatGPTとそれ以前の会話ＡＩの違いは「強化学習を使ったかどうか」と言ってもいいくらい強化学習は強力なのですが、これまであまりビジネス界では注目されてきませんでした。

強化学習というのは、実は計画立案にとても有効です。ある計画を立案するときに、生成系ＡＩと強化学習を使って「未来のこの場面」をシミュレートしていきます。

「未来のこの場面」と、そこでどう行動したか、その結果環境はどう変化したか、というシミュレーションを繰り返していき、最終的に計画が成功するか失敗するかという未来を見てきたとします。

それを逆算すると、唯一の正しい道、つまり最も確からしい計画が得られるのです。まさに「計画が生成される」わけです。

この手法の利点は、俗に言う「ＡＩの判断はブラックボックスだ」という批判を完全に否定できることです。

強化学習ＡＩが導いた結論までには無数の分岐があります。将棋や囲碁で言えば「棋譜」があるわけです。人間が「ＡＩの計画ではこうなっているが、ここをこうした方がいいんじゃないか」と茶々を入れても、ＡＩはその先のシミュレーションを見せることができます。

するとほとんどの場合で、人間の勘よりもＡＩの示した方策の方がいいことがわかります。もしもそれでもその計画が誤っているように見えるとしたら、シミュレーション環境自体が間違っているのです。

人間が立てると2週間かかる計画をＡＩはわずか1時間で作成できるため、実際に工事現場などで使われ始めています。これまでは工事が雨や事故、渋滞などで停滞したとき、とても計画を立て直している暇がなく人間の勘でカバーしていたところを、わずか1時間後にはその状況に合わせた最適な計画が出てくるため、工期の短縮につながっているそうです。

ゲームで言えば、ソニーによる自動車レースのシミュレーションゲーム「グランツーリスモ7」で、強化学習されたGran Turismo SophyというＡＩは、ただ速く走るだけでなくほかのプレイヤーに対してレーシングマナーを守ったり、危険な運転を避けたりといったことまで学習し、その上でトップレベルのプレイヤーを打ち負かすところまで成長したことで大きな話題になりました。

問題解決やクリティカルシンキングを手伝ってもらう

ＡＩは、問題解決と批判的思考に必要な情報を提供するだけでなく、膨大なデータセットを分析し、それに基づいて最適な解決策を提案します。

ある能天気な仮説を考えて、それについてＧＰＴ－４に批判的思考を手伝ってもらいましょう。こんなのはどうでしょうか。

「ＡＩが僕の代わりに働いてくれるから、僕はこれから一生遊んで暮らせるんだ」

これに対する批判的思考をＧＰＴ－４に考えてもらいます。

プロンプト：
「AIが僕の代わりに働いてくれるから、僕はこれから一生遊んで暮らせるんだ」という主張に対し、問題点をできるだけ詳細に、ステップバイステップで指摘してください

GPT-4：
「AIが僕の代わりに働いてくれるから、僕はこれから一生遊んで暮らせるんだ」という主張には、以下のような問題点が存在します。

ＡＩによる自動化は、全ての業務に対して完全に適用されるわけではない。

１．ＡＩは、特定のタスクについて高い精度で作業できるようになっていますが、全ての業務を完全に自動化することはできません。ＡＩは論理的な作業が得意であるため、クリエイティブな作業や、非定型的な問題解決には限界があります。

ＡＩの導入にはコストがかかる。

２．ＡＩを導入するには、それに適したハードウェアやソフトウェアを購入する必要があります。また、ＡＩシステムの開発や導入には、高度な専門知識が必要となります。これらのコストは、中小企業などの小規模なビジネスにとっては大きな負担となる場合があります。

ＡＩの導入により、一部の仕事が失われる可能性がある。

３．ＡＩによる自動化が進むことにより、一部の業務が失われる可能性があります。例えば、自動運転技術が普及することにより、ドライバーの需要が減少する可能性があります。このような状況においては、ＡＩによる自動化が経済的な成長を妨げる可能性があります。

ＡＩが代替できない価値が存在する。

４．ＡＩは人間の代替となることができますが、それでもＡＩが代替できない価値が存在します。例えば、人間同士の対話や、コミュニケーション能力、クリエイティブなアイデアの発想などは、AIが代替できるものではありません。また、人間同士の関係性や信頼関係は、AIによる自動化では代替できません。

AIが発生させる社会的・倫理的問題が存在する。

5. AIによる自動化が進むことにより、労働市場や社会に様々な問題が生じる可能性があります。

技術の進化によって仕事が減ることはあるが、同時に新たな職種やニーズも生まれる。

6. 技術の進化によって、古くからある職種がなくなることはあります。例えば、自動化技術の進歩によって、自動車工場での一部の作業はロボットが行うようになり、人手不足を解消する一方で、工場での労働者の仕事が失われる可能性があります。しかし、同時に新しい職種やニーズが生まれることもあります。例えば、ロボットのプログラムを開発したり、ロボットの保守や修理を行う技術者など、新しい分野での需要が増えることが予想されます。

また、新たな技術によって、人間が本来行いたくないような単調な作業や時間のかかる作業が省略され、より価値の高い仕事に時間を割くことができるようになるかもしれません。例えば、生成系AIによって簡単に文章を生成することができるようになり、ライターが書く必要のある単調な作業を省略することができます。これにより、ライターはより創造的な仕事に時間を割くことができるかもしれません。

人々が働くことは、単に収入を得るだけでなく、社会的なつながりや個人的な成長など、多様な面での満足感や幸福感をもたらします。一方、技術の進化によって生産性や効率性が向上すると、仕事に要する時間が短くなり、収入が増える可能性があります。しかし、これが必ずしも個人的な幸福感や社会的なつながりにポジティブな影響を与えるわけではありません。

例えば、労働者が単調な作業をする必要がなくなり、より創造的な仕事に時間を割くことができるようになった場合でも、その仕事にはストレスやプレッシャーがあるかもしれません。

浮かれているときにあえて批判的なことを言ってもらえると冷静になれるという点で、ＡＩほど気楽に相談できる相手はいないかもしれません。

思考の連鎖

ＧＰＴ‐４のような大規模言語モデルを使うテクニックの一つとして「思考の連鎖（Chain

of thought)」というものがあります。一言で答えを聞くのではなく、一度整理させてから、あらためて考えるように仕向けるという手法です。

たとえば、こんなふうに使います。

プロンプト：
AIが人間の恋愛を応援できるとしたらどんな方法があり得るか、関係しそうな技術を5個列挙して、それらを組み合わせた具体的なアイデアを10個考えてください

GPT-4：
AIが人間の恋愛を応援するための方法として、以下のような技術が関係してきます。
1. 自然言語処理（NLP）：テキスト分析や会話処理による意思疎通の改善
2. 機械学習：ユーザーの行動データから好みを学習する
3. コンピュータビジョン：画像認識や顔認識によるマッチング
4. システム連携：SNSやマッチングアプリとの連携によるデータの収集・活用
5. IoT：ウェアラブル端末やセンサーによる身体的なデータの取得・分析

これらの技術を組み合わせて、以下のような具体的なアイデアが考えられます。

1. オンラインデートアプリにおいて、マッチングされたユーザーに対して、顔認識技術による自動的な顔の美しさ評価を行い、美しさが近い相手を提案する。
2. マッチング後、自動でチャット内容を解析し、言葉遣いやトーンの適切さなどのアドバイスを提供する。
3. インターネット上の出会い系サイトにおいて、アカウント登録時に趣味や好みを尋ね、その情報をもとに、ＡＩが自動で趣味が近い相手をマッチングする。
4. マッチング後に、デートのプランを自動で提案する。提案内容は、相手の好みや趣味をもとに自動生成される。
5. デートの当日、自動で写真を撮影し、ＡＩが顔認識技術を用いて、写真から相手の感情を読み取り、デート後のフィードバックや改善点を提供する。
6. 複数のマッチングアプリでのマッチング履歴を総合的に分析し、その情報をもとに、ユーザーに「あなたに合う異性の特徴」を提供する。
7. マッチング後、自動で「おすすめのデートスポット」を提案する。提案内容は、相手の趣味や好みをもとに自動生成される。

8. ユーザーがデート中に撮影した写真を自動で分析し、その写真から相手の好みや興味をAIが読み取り、次回のデートのプランを自動で提案する。
9. マッチングされたユーザー同士が、AIが提供するアドバイスをもとに、デート中の会話のトピックを自動で提案する。
10. マッチングされた相手とのコミュニケーション

このように、プロンプトに「まずこうして、次にこうして」と指示することで、GPTは一度問題を整理してから、あらためて考えるという手順を踏みます。このようなことができるようになったのは、GPTがプログラミング言語によるプログラムを大量に学習したからだという説があります。

プログラミング言語は、論理的な操作を大量に行い、なおかつ間違っていた（バグっていた）場合はすぐわかるので、整合性をとりやすいのでしょう。

プログラミング言語のように思考できる

おまけに、今の大規模言語モデルは、英語でも日本語でも分け隔てなく扱えます。「英語の論文を示して日本語で説明しろ」ということもできるので、プログラミング言語のように考え

1から100までの数の和は、次のように計算できます。

Copy code

```
1 + 2 + 3 + ... + 98 + 99 + 100
```

ここで、1から100までの数の和は、以下の式で求められます。

scss　Copy code

```scss
1 + 2 + 3 + ... + 98 + 99 + 100 = (1 + 100) + (2 + 99) + (3 + 98
```

式を整理すると、

python　Copy code

```python
1 + 100 = 101
2 + 99 = 101
3 + 98 = 101
...
49 + 52 = 101
50 = 50
```

となります。よって、1から100までの数の和は、

scss　Copy code

```scss
(101 x 49) + 50 = 5050
```

となります。

ることもできます。
次のような問いを立ててみます。

プロンプト：
1から100まで順に足した数の和を答えてください

回答が右ページの画像です。愚直に足すようなことはせずに、有名なガウスの手法で解いています。なまじ人間よりも賢く見えてしまうのは、ひとえに膨大な知識を背景に持っているからです。

人間の思考に与える影響

こうしたＡＩの一連の性質は便利な一方で、私たちの思考に与える影響についても懸念があります。ＡＩが人間の知的活動を代替することによって、人間の脳の一部の機能が退化するリスクがあるでしょう。また、ＡＩに依存することで、私たちの自己決定能力が低下し、自己責任の意識が失われることも考えなくてはならないかもしれません。
筆者は新潟の田舎町の出身ですが、地方に住んでいると基本的にバスか自家用車で移動するので、ほとんど歩かないのが普通です。ところが東京に出てくると、異常なほどよく歩きます。

上京して20年以上経ちますが、たまに田舎に帰ると「なぜこんなにみんな歩くのが遅いのだ」と思ったりするのです。これも一種の「技術の普及による退化」と言えるでしょう。ただ、自動車で言うと、レーサーは普通の人より速くて高性能な車に乗っているわけですが、サーキットでのレーサーは普通の人間の何倍も速く歩く。つまり常に退化するわけではないのです。むしろレーサーは、普通の人に比べて高速な判断や高いGの負荷に耐えるために強靭な肉体と判断力を手にしていると言えるでしょう。

たとえば筆者は最近まで英文を読むのがそれほど苦になりませんでした。18歳の頃から、コンピュータの世界の最先端の情報は常に英文でしか入ってこなかったからです。英文を読まなければ最先端についていけなかったのです。

ところがＡＩに関する論文が山ほど発表される現在、英文を読むのが苦痛で仕方がありません。ＡＩの世界にはありとあらゆる分野の知識が総動員されるような論文が多く、とてもカバーしきれません。いちいち知らない単語の意味を調べている余裕もないので、容赦なく自動翻訳を使うことにしています。

自動翻訳でも英文はかなり読めるようになります。論文の概要をさらに要約して質問してみると、この方が圧倒的に楽だし時間短縮になります。

その結果、筆者の英語力は低下しているかもしれません。

ですが、それがどうしたというのでしょうか。

日本で暮らす限り、英文を読む必要性などそうそう生じません。いざ「読むか」というときに読めれば十分ではないでしょうか。

もう一つ懸念事項があるとすれば、ＡＩが持つバイアスや偏見が、私たちの思考に影響を与える可能性があります。ＡＩによって生成された情報に対しては、常に批判的に検討する必要があるでしょう。

ＡＩが持つメリットとリスクの両面を理解し、人間とＡＩが協力することで、より質の高い意思決定ができるようになるはずです。生成系ＡＩは、私たちが行う思考のプロセスを補完するツールです。ＡＩとの協力を通じて、より高度な知的活動を実現できるでしょう。

また、人工知能による推論は、一方的に知識を追加していくだけでなく、既存の知識の矛盾を見つけ、修正することもできます。矛盾を解決するために必要な情報を収集し、それを正しい形で整理することができるのです。

しかし、注意が必要なこともあります。一つは、人工知能は人間と同様に、前提となる情報が間違っている場合には正しい結論を導くことができないということ。

もう一つは、今後、大規模言語モデルがさらなるデータを求めた場合、おそらく数年以内にインターネット上には人間が書いた文章よりもＡＩが生成した文章やＡＩが生成した画像、ＡＩが生成した動画の方が多くなるはずです。そのとき、学習に使われた文章が真実かどうか、確かめる方法は今のところありません。

実際にやってみるしかないのです。今から心配するべきはむしろこちらでしょう。

社会・産業に与える影響

大規模言語モデルが社会に与える影響は、おそらくほとんどの人が考えているよりもずっと大きいはずです。

今の大規模言語モデルは半ば意図的に、２０２１年９月までの情報しか学習していないと考えられます。それ以降にインターネットに掲載された情報には、ＡＩが生成したものが含まれるからです。おそらく現在すでに、ネット上にはＧＰＴ－３以降のＡＩが自動生成した文章が溢れています。特にスパムサイトやＳＥＯ（検索エンジン最適化）にはうってつけでしょう。このあたりも、ＳＥＯ対策に悩んでいるGoogleが危機感を持つ理由になっているようにも思えます。

２０２２年のChatGPT、２０２３年のＧＰＴ－４の登場、そしてStable Diffusionのような画像生成ＡＩの登場により、インターネット上がＡＩによって生成された真偽不明の情報で溢れ、人間が作り出した「天然」の情報でなくなっていく可能性は十二分にあります。

それどころか、数年以内にインターネット上の情報の過半数、いや、ほぼ全部が生成系ＡＩで作られた情報になる可能性は非常に高いでしょう。そうなれば、ＡＩが学習するのに大きな障害となります。

フェイクニュースとまでいかなくても、不正確な表現が含まれたＡＩ生成のテキストを大量に学習すれば、新しいＡＩは自家中毒的にどんどんバカになっていくリスクがあります。OpenAIがあえて２０２１年９月までの情報の学習を繰り返しているのにも一定の意味があるのです。

一方で、社会はこれからＡＩが急速に生活に溶け込む時代を経験するはずです。

普段何気なくやりとりしているメールの大半がＡＩ生成物になるでしょう。そもそも、人間との対話は煩わしい手続きが多いものです。時節の挨拶、儀礼的な文章にまぎれて本題はほんの少しだけ。情報の送り手も受け手も、伝えたいメッセージの「本当の中身」だけを伝え合い、体裁は生成系ＡＩが取り繕うというのは普通の流れです。

メールだけでなく、ニュースもＡＩが介在しないものはなくなるでしょう。

そもそも、「誰にとっても必要なニュース」というのは災害などごくわずかです。大半のニュースは「多くの人にとって必要と思われる」情報で埋まるわけですが、なかには「ただ時間を埋めるため」に発信しなければならないニュースもあるでしょう。テレビのニュース番組などで、かわいい犬の動画が紹介されたりするのはそういうときかもしれません。

すでにニュース作成にＡＩを活用すると表明しているニュースメディアがいくつも立ち上がっています。そもそもネットニュースの大半はプレスリリースという、企業が発表した文章をリライトして自社のメディアに載せている、いわゆる「リリース起こし」と呼ばれるものです。これなどは人間の手が介在するよりも、ＡＩが書いた方が質が高い文章になる可能性すらあります。

エンターテインメントの分野もすでに生成系ＡＩを積極的に取り入れ始めています。実際のところ、生成系ＡＩはそれ単体でエンターテインメントになるほどバラエティに富んだ「返し」が可能です。

これから生まれる子どもたちは、死ぬまでの間に触れる情報がほとんど全て生成系ＡＩの出力という、いわば「ＡＩネイティブ」になっていくでしょう。そうなると社会への影響は計り知れません。

YouTube の動画作成など、「できればＡＩ化したい」と考えている人が特に多い分野はあっという間に広がっていくはずです。ただでさえ YouTube には自動音声読み上げの動画が溢れています。これらの動画で読み上げる文章はクラウドソーシングでかなりの低単価で作られていますが、それでも生成系ＡＩの手軽さには及びません。

今後、読み上げの音声合成自体の精度も劇的に上がりますし、人間だと思って見ていたYouTuberが実はＡＩ生成物だったということは多分にあり得ます。

するとますます、人間が生成したものとＡＩが生成したものの区別をつけることは難しくなっていくでしょう。

とすると、一体全体、私たち人間は何をすればいいのでしょうか。

人間はAIとどう生きるか

これまで人間だけが作れると考えられてきたほとんどのものをＡＩが生成するようになった時代、私たちはどのように生きていくべきか。これはとても難しい問題です。

筆者は16歳のときからライターをやっているのですが、物書きの仕事がなくなるのは生きがいがなくなるのと同じくらいショッキングなことです。

でも、本書もそうですが、生成系ＡＩに物書きを手伝ってもらうと非常に効率的に進みます。

もしも生成系ＡＩがなければ、本書はとても完成しなかったでしょう。人間が追いつくよりもはるかに世の中の流れが速いので、新しいニュースや論文が出てくるたびにそれを一つ一つ自分でチェックして吟味するという手間をかけるのは、大変な労力です。

今回、この部分ではＡＩにずいぶん助けてもらいました。ＧＰＴ－４は単純な自動翻訳ではなく、要約した上に質問にまで答えてくれるのです。

今回、生成系ＡＩと一緒に本を書いてみて、わかったことがあります。

まだまだ、生成系ＡＩは人間の物書きを直接脅かすようにはなっていません。それは主にシークエンスのトークン数の制限によるものです。

とはいえ、１０００文字くらいなら簡単に生成できます。ネットメディアの連載は３０００字くらいが普通なので、その3分の1をＧＰＴで生成できるのであれば、ずいぶん楽になるでしょう。

まだ筆者の手元には届いていませんが、ＧＰＴ－４は最大約3万２０００トークンまで扱えるそうです。3万２０００トークンというのは、日本語の文字数にすると少し減るとはいえ、2万字くらい。2万字といえば物書きの世界ではガッツリしたロングインタビューくらいの分量です。今の精度の文章が2万字も出てきてしまうとすると、これはもう、たしかに文明の根幹を揺るがすくらいのインパクトがあるはずです。

さらに、Transformer の欠点を乗り越えた Hyena《ハイエナ》 というアーキテクチャを使うと、１００万トークンを処理する性能まで見えてくるそうです。そうなると、今は断片的なプログラム（コードスニペット）しか出てこない生成系ＡＩも、かなり大規模なプログラムを生成できることになります。１００万字というのは、たいていの人間が一生かけて出力する文章量に匹敵します。

そのとき、人間は何に価値を見出し、何を大切にしていくべきなのでしょうか。

筆者は２０１６年頃に五反田のゲンロンカフェのイベントに登壇したとき、まさにこの質問を受けました。

それまでは無邪気にＡＩの可能性について語っていたのですが、その質問をされると答えに詰まってしまいました。なんと答えるべきか、全く思いつかなかったからです。

そのとき自然に口から出てきたのが、「真心と思いやり」でした。

あまりにも自分が発した言葉のような気がしなくて、思わず笑ってしまったのを覚えています。

それから7年ほど経ちました。日を追うごとに、まさに「真心と思いやり」こそが、これからの時代の人間に必要な価値観だという思いが強まっています。

この答えは一見するとできすぎです。優等生的に聞こえてしまうでしょう。しかし筆者は科学に魂を売った人間ですから、エモーショナルな経験からそう言っているのではありません。

「価値ある能力」は時代によって変化する

まず、そもそも「人間にとって価値ある能力とは何か」という問いから始めましょう。

実はこれは時代によって変化します。

原始時代、狩猟民族だった時代は、「人間にとって価値のある能力」とは「目がいい（視力）」「速く走る（走力）」「獲物を仕留める（腕力）」でした。それがないと生きていけないのだから当然です。

興味深いことに、この3つは現代のスポーツに要求される能力でもあります。野球もサッカーも視力と走力が必要です。格闘技は言わずもがな、野球とアメフトも腕力が大切ですね。

しかし、狩猟時代にも落ちこぼれてしまった人間はいました。つまり足が遅くて目が悪く、腕力にも乏しい人間です。こうした人々は狩猟中心の社会ではお荷物でしたが、彼らなりに生き残りの術を探します。

走力や腕力がなくても手に入る食料を探しました。まずは植物です。植物を火で熱し、違う物質に変化させ、調理します。こうすることで、走力や腕力がなくてもパンやコメを食べることができるようになりました。

植物を中心に考えると、同じ場所に定住し、時間をかけて植物を育てるという発想に変わります。走って動物を捕まえるのではなく、川にいる魚を罠にかけて楽に捕まえる「簗場《やなば》」なんかも同じ発想から生まれたのかもしれません。

植物を作物としてとらえると、必要なのは視力でも走力でもなく、未来を見通す力、すなわち知力です。人間は狩猟生活をやめると、知力を高めることに最も価値があると考えられるようになりました。これが農耕革命と呼ばれる変化です。

動物すらも家畜化し、走って捕まえるよりも育てて食べるという発想に変わりました。

農耕革命と同時に始まったのが知能革命だと言われています。つまり、農耕の始まりは知能に価値の中心が移ったということの始まりでもあるわけです。

知能革命以降は、知能が最も価値ある能力とされ、知能が高い人間が社会を構築し、社会的に高い地位を築いてきました。貨幣、国家、宗教、企業といった現代文明の礎となる仕組みは、全て「知能が高いことが人間にとって最大の価値」であるという前提で作られています。

たとえば企業でも大学でも、入試に体力テストを行うところはほとんどありません。ごく簡単な健康診断はあっても、１００メートルを10秒台で走る能力は求められていません。

知能革命がもたらしたのは、知能の連携です。最初はごくわずかな範囲から始まり、最終的には全地球規模で知能がつながり、連携できるようになりました。

そう。インターネットです。

そのインターネットに放出された無数の情報の断片が、人工知能に学習され、やがてインターネットに存在する情報の大半が人工知能による生成物に変わるでしょう。

AIによって人間の知性は無価値化される

農耕革命が起きるまで、知能が高いことはほとんど役に立ちませんでした。無価値と思われていたかもしれません。

それまで無価値と思われていたものが、ある時点を境に突然価値を持つ可能性があるのです。求められる「知力」の質も、知能革命の最中にどんどん変化していきました。メガネが発明される以前は、知力が高いとは視力がいいことも意味していました。囲碁や将棋に強いことは、かつては軍師の才能と考えられていました。計算に強いことが、賢いことの証明のように言われてきたこともあります。

しかし、計算方法そのものを考え出す数学者は、実は計算が苦手という錯誤もあります。数学者にとって価値のある知能とは、計算が得意なことではなく、それまでの枠組みにとらわれない自由な発想ができるということでした。

ほんの少し昔は「生き字引」といって、たくさんの事柄を知っている人間が重宝され、知能が高いと考えられていました。また、キーボードが普及する前は、エリートの条件は字が綺麗なことでした。そうしないと知識を共有できないからです。

日本では長らく英語信仰があり、英語を読み書きできるだけで知力が高いと思われることもありました。でも自動翻訳の発達で、その能力は急速に価値を失っています。

さらに現在、「知能活用」の代表格といっていいプログラマーの美徳とされているのはハック——すなわち「表面的なことから本質を見抜き、手間を省く」能力、つまりは「手抜き」の能力です。生成系ＡＩはまさに手抜きのための発明です。

すると、現在のところ人間の美徳とされているけれども、全くお金（お金自体が知能革命の成果です）につながらない能力は何かということを考えたときに、出てくる答えは「真心と思いやり」にしかならないのです。

「真心革命」のようなものがこれから起きるのかどうかはわかりませんが、自動車の発明が走力をほとんど無価値化したのと同じように、ＡＩが学歴や知性そのものを無価値化していきます。筆者のような物書きはまさに知力を売りにして生活してきたので非常に残念な結論ではありますが、これは抗えない時代の流れです。

言い換えると、これからは「どれだけ難しいことを理解しているか」ではなく、「どれだけ相手のことを思いやれるか」に、より大きな価値がある時代が来るでしょう。

そればっかりは生成系ＡＩに聞いても教えてもらえないからです。

「ＡＩネイティブ」の子どもに必要な2つの力

ＡＩの出現で、「自分の仕事がなくなる」と大騒ぎになっています。

たとえばなんらかのテストに合格するというのは、もはやその人の知性をなんら保証するものではないということが明々白々となってきました。

「まじめな人であれ」「平凡な人であれ」という価値観。いや、むしろ「このテストにパスできる人間になれ」とか「ほかの人を出し抜いてエリートになれ」といった価値観が否定され、そのことが受け入れられるようになるのは時間の問題です。

誰だって、好きこのんでテスト勉強をしてきたわけではありません。自分のやりたいことを我慢して、でもそれが将来のためだからと信じてテストのための勉強、勉強のための勉強をしてきた人が大半でしょう。

しかし、それに高い価値がある時代はまもなく終わります。

いや、実際のところもっと昔から、テスト勉強によって得られる地位は、それ以外の勉強を重ねた人が得られる地位よりもそれほど高いわけではありませんでした。

たとえば漫画家、小説家、歌手、そのほか「アーティスト」といった人たちにテスト勉強は必要ないかもしれません。その代わり、そうした表現活動で食べていくのは難しかったし、今だって簡単とは言えません。

しかし、10年前に比べて、表現労働によって生きる人はずっと増えている印象があります。同人作家、YouTuber、ライバー、noteなどなど、自己の表現をマネタイズする手段はひと昔前に比べれば豊富すぎるほどです。

かつて本を書いて暮らすというのは大変なことでした。まず原稿を書くよりも先に、編集者に対して、「自分はそんじょそこらの人間とは違う人間なのだ」と納得してもらわなければならなかった。もしもそれをすっ飛ばして原稿だけ書いて持ち込んだとしても、「そんじょそこらの人間」だと思われたら読んでさえもらえません。

筆者も文章を書く仕事をしてもう30年になりますが、自分の文章を最後まで自信を持って読んでもらえるようになるまでには時間がかかりました。本書だって、最後まで読んでくれる読者は、冒頭の数行、数文字を読んでくれる読者よりは必ず少ないのです。

ＡＩは「普通の人」や「普通のエリート」に求められるようなことは、ほぼ全てできます。個性のない仕事は全てＡＩがやるようになっていくでしょう。

あとは法的な整理がどこまで追いついてくるか。たとえば人間以外の人が弁護士になれるのか、会社の代表になれるのか。そういったことが整理されるまで、人間は一種の人身御供《ひとみごくう》として、ＡＩの後見人として必要とされるはずです。

しかし、それもそんなに長い間は続かないし、そうしたときに人間の価値は相対的に下がっていくように見えるかもしれません。

このような時代に価値を持つ能力とは、これまでどちらかというと無価値と思われていた2つの能力でしょう。

一つは、「人のやらないことをやる」ということ。

誰かの真似をするだけで飽き足らず、自分なりの工夫をしようとする能力。クリエイティビティと呼んでもいいでしょう。

特に日本の教育現場では、このクリエイティビティを伸ばす教育が全くケアされていません。それどころか、クリエイティブなことをしようとする児童や生徒をスポイルしようとすることが多い。しかしこれからの時代は、クリエイティブであることが何よりも重要になります。

今後、最も価値が高い労働は表現労働であり、これまでのような定型処理を没個性的にこなすという仕事は、どんどん価値が下がっていくでしょう。

もう一つの能力は、繰り返しになりますが、こちらもこれまで教育現場で価値を認められなかった能力です。それは他人を思いやる力。いわば「ホスピタリティ」とでも呼ぶべき能力です。

「思いやりのある子です」は褒め言葉ですが、「思いやりがある」という理由で上位の学校に行けることはあり得ません。反対に、「思いやりのない子」でもテストの成績が高いという理由で上位の学校に行くことはごく当たり前にあります。

ところが、テストの成績が高いという能力は、ＡＩの持つ本質的な能力に勝てません。むしろＡＩが苦手とする、「人のやらないことをやる」「他人の気持ちを思いやる」ことを大切にすることが、これからの時代の人々に求められる能力であると言えるでしょう。

余談ですが、筆者が義務教育段階でのプログラミング教育を推進した動機の一つは、こうしたクリエイティビティとホスピタリティを育むのに、プログラミングが有効な手段となりうると考えたからです。

プログラムを言われた通りに書くのも勉強ですが、それよりもそれを思い思いに改造することで、プログラミングを一つの表現手段として獲得できます。クリエイティビティを高めることができるのです。

次に、自分の書いたプログラムを友達や親、先生など、身近な人に遊んでもらうことで、「どうすれば相手の関心を引けるのか」「どうすれば使ってもらえるか」といったことに目を向けさせることができます。これはホスピタリティを高める訓練になります。

人間がＡＩに優る要素があるとすれば、クリエイティビティとホスピタリティ、この2点に尽きるのだから、教育制度のありかたも積極的に見直していくべきでしょう。

おわりに

本書はＧＰＴ－４と人間の筆者が共同執筆しました。

最後に、「共同執筆」とはどのように行われたか、少し種明かしのようなものが欲しいと言われたので書いておきます。

まず、本を書くときに一番大変なことはなんだと思いますか？

もちろん文章を書くのは大変なのですが、それ以上に「一定量の文章を書く」ことが大変なのです。根気さえあれば誰にでもできそうなことなのですが、「著者」というのは多かれ少なかれ、この「一定量の文章を書く」という作業が得意ではありません。

一冊の本を書こうとしたとき、本当に書きたいことだけを書くと10ページくらいで終わってしまう、なんてことはよく言われます。もちろんそれでは書籍という商品にはなりません。

そこで、ある主張があったときに、「なぜそう考えるのか」「そう考えた結果どうなるか」「そう考える人はほかにもいるのか」「反対意見や欠点はないか」なんてことを考えながら肉付けしていって、最終的には200ページくらいの本になるわけです。

ところがこの作業が意外に退屈な上、そうして引き伸ばした原稿は面白くありません。本がたい焼きのようなものだとすると、「アンコ」をどこまで詰め込めるかというのが大切になります。しかし、この「アンコ」を作る作業というのは非常に難しいのです。

要は、誰が読んでも「なるほど、ためになった」というエピソードをたくさん用意しなければならないわけで、それはもう、本を書くよりもむしろそういうエピソードを作るための人生を生きる方が大変です。

ただ、逆に言えば、ある程度の文章量が叩き台としてあれば、それを読みやすく修正したり、「そういえばこんなエピソードがあったな」と思い出したりすることで原稿を書きやすくなります。

今回GPT‐4にやってもらったのは、主に「最初にまとまった文章量を書く」というところです。まずは「こんな本を書きたい」と言って構成案をGPT‐4に出させ、次に「その章には何が書いてあるのか」ということをしつこく聞き出しながら、8万字ほどの下書きを書かせます。

それを最初から読んでいくと、「これは直しようがない事実だな」とか、「これは調べないとダメだな」というところがわかってきます。そこに自分の文章を肉付けしていって、一冊の本ができあがるというわけです。

途中途中で「この話をするんだったら、このエピソードも入れられるな」と考えながら書くと、自然と書くスピードが速くなります。

あとから読み返すと、ＧＰＴが書いたところも、筆者が書いたところも、だんだん区別がつかなくなっていって、ＧＰＴの思考と自分の思考が溶け合って混ざってしまうような不思議な感覚に陥ります。

本というのは、製本されて書店に並ぶまでにいろんな人によって何度も読み返されます。特に著者は一番自分の本を読み返すので、「これは変だな」というところがどんどん削られていくのです。

そうすると、最終的にすっかりＧＰＴが書いた部分がなくなっていきます。

実際、本書も最初の下書きは全てＧＰＴが書きましたが、ＧＰＴが書いただけの文章はほとんど跡形もありません。ＧＰＴはあくまでも筆者の記憶の中から「こんなことがあったな」という記憶を呼び起こさせる鍵となっているだけで、実際の文章は「こんなのつまらない」「こんなの僕の文章らしくない」ということで上から書き直されるわけです。
それでもＧＰＴがなければ本書の執筆にはもっと時間がかかっていたでしょうから、ＡＩを使う意味は相当にあったと思っています。

筆者はＧＰＴを使って、世界中の関連するｗｅｂサイトやニュースを検索して毎日自分のための本を書いてくれるようなプログラムも自作しました。

そうすると、毎日のように新しい知識が集まり、ＧＰＴによって要約されて、しかも質問にも答えてくれるという便利なものになります。

最近、筆者はシラスというプラットフォームで毎朝「モーニングＡＩニュース」という番組を配信しているのですが、そのニュースの要約と読み上げも全てＡＩによって自動化しています。筆者はＡＩが集めてきて読み上げたニュースを聞いて「へー」とか「それはすごい」とかの感想を言っているだけです。

このように、ＡＩを使いこなすには、実はプログラミングができるということがかなり重要です。

ＡＩに使われるのではなく、ＡＩを使いこなす人間になるために、プログラミングは絶対にやっておくべき必須スキルと言っていいでしょう。

しかも、ＡＩのプログラミングはその実、かなり簡単です。

少しのコツをつかめば、誰でもＡＩによるプログラミングができるようになります。しかもChatGPTはプログラミングの質問に関してはかなり細かいところまで答えてくれます。これもＡＩの恩恵と言えるでしょう。

とにかく、今すぐＡＩとプログラミングを始めることをお勧めします。世の中にはいい入門書がたくさんありますし、ChatGPTは優秀な家庭教師になってくれます。

アイデア次第でどんなこともできる。

それが今、ＡＩとプログラミングという武器を持っている人に許された楽しみです。

ぜひ、この世界に飛び込んでみてください。

著者略歴

清水《しみず》 亮《りょう》

一九七六年、新潟県長岡市生まれ。
Uber Eats配達員。
六歳の頃からプログラミングを始める。
米マイクロソフトで上級エンジニアとして活動後、
一九九八年にドワンゴに参画し、二〇〇三年に独立。
二〇〇四年に情報処理推進機構（IPA）より
「天才プログラマー／スーパークリエータ」に認定。
以後、一〇社の会社設立に関わる。
近年はディープラーニングを活用した人工知能の開発を専門に行い、
二〇二三年よりパーソナルAIサービスMemeplexを開始。
著書に『よくわかる人工知能』（KADOKAWA）、
『教養としてのプログラミング講座』（中公新書ラクレ）などがある。

幻冬舎新書 697

教養としての生成AI

二〇二三年七月二十五日 第一刷発行
二〇二三年九月二十五日 第二刷発行

著者 清水亮
発行人 見城徹
編集人 小木田順子
編集者 小林駿介

発行所 株式会社 幻冬舎
〒一五一-〇〇五一 東京都渋谷区千駄ヶ谷四-九-七
電話 〇三-五四一一-六二一一(編集)
〇三-五四一一-六二二二(営業)
公式HP https://www.gentosha.co.jp/

ブックデザイン 鈴木成一デザイン室
印刷・製本所 株式会社 光邦

Printed in Japan ISBN978-4-344-98699-2 C0295
し-16-1

*この本に関するご意見・ご感想は、左記アンケートフォームからお寄せください。
https://www.gentosha.co.jp/e/

幻冬舎新書

出口治明

自分の頭で考える日本の論点

「経済成長は必要か」「民主主義は優れた制度か」等、専門家の間でも意見が分かれる22の論点について、著者ならどう判断するかを解説。生きるのに役立つ知識が身につき、本物の思考力も鍛えられる一冊。

出口治明

人生を面白くする

本物の教養

教養とは人生を面白くするツールであり、ビジネス社会を生き抜くための最強の武器である。読書・人との出会い・旅・語学・情報収集・思考法等々、ビジネス界きっての教養人が明かす知的生産の全方法。

藤垣裕子　柳川範之

東大教授が考えるあたらしい教養

東大教授2人が提唱する教養とは「正解のない問いに対し、意見の異なる他者との議論を通して思考を柔軟にし、〈自分がよりよいと考える答え〉にたどり着くこと」。その意味するところを解説。

伊藤賀一

1日1ページで身につく！

歴史と地理の新しい教養365

変化の激しい現代社会を読み解くための強力なツール（教養）が「歴史と地理」。同時に身につけると、国際関係も日本の立ち位置も見えてくる。一生使えて今日から役立つ画期的な教養本。